LETTRES À UNE JEUNE JOURNALISTE
de Josée Boileau
est le mille soixante-seizième ouvrage
publié chez VLB ÉDITEUR
et le quatrième de la collection « Lettres à un jeune... »

Directeur littéraire : Alain-Nicolas Renaud
Photo en couverture : Mathieu Rivard

Catalogage avant publication de Bibliothèque et Archives nationales du Québec
et de Bibliothèque et Archives Canada
Boileau, Josée, 1962-
    Lettres à une jeune journaliste
    Comprend des références bibliographiques.
    ISBN 978-2-89649-719-5
    1. Boileau, Josée, 1962- . 2. Journalisme - Orientation professionnelle.
3. Femmes journalistes - Québec (Province) - Biographies. 4. Rédactrices en chef -
Québec (Province) - Biographies. I. Titre.
PN4913.B64A4 2016   070.92   C2016-941516-3

VLB ÉDITEUR
Groupe Ville-Marie Littérature inc.*
Une société de Québecor Média
1055, boulevard René-Lévesque Est
Bureau 300
Montréal (Québec) H2L 4S5
Tél. : 514 523-7993, poste 4201
Téléc. : 514 282-7530
Courriel : vml@groupevml.com
Vice-président à l'édition : Martin Balthazar

Distributeur :
Les Messageries ADP inc.*
2315, rue de la Province
Longueuil (Québec) J4G 1G4
Tél. : 450 640-1234
Téléc. : 450 674-6237
* filiale du Groupe Sogides inc.,
    filiale de Québecor Média inc.

VLB éditeur bénéficie du soutien de la Société de développement des entreprises cultu-
relles du Québec (SODEC) pour son programme d'édition.
Gouvernement du Québec – Programme de crédit d'impôt pour l'édition de livres – Gestion
SODEC.

Financé par le
gouvernement
du Canada

Canada

Nous remercions le Conseil des arts du Canada de l'aide accordée à notre programme de publication.

LETTRES À UNE JEUNE JOURNALISTE

LETTRES À UNE JEUNE JOURNALISTE

JOSÉE BOILEAU

vlb éditeur
Une société de Québecor Média

L'ÉLAN

Il paraît que le métier n'a plus la cote. Les admissions dans les facultés de communication et les programmes de journalisme sont en chute libre et on ne voit plus, comme il y a encore quelques années, ces interminables listes d'attente pour quelques places disponibles.

Il paraît aussi que le sort des entreprises de presse est menacé, que les directions ne savent plus quoi faire, quoi inventer, quoi promettre pour retrouver la rentabilité.

Il paraît, enfin, que les citoyens n'ont plus le cœur, ni le temps, ni la tête à s'informer, happés qu'ils sont par mille distractions accessibles du bout des doigts.

Et quand on constate, données à l'appui, que tout cela est avéré, il y a amplement de quoi être découragée. Mais si tu es là à me lire, journaliste débutante, ou pas encore assez installée dans la profession à ton goût, c'est que toutes ces réalités n'ont pas éteint ton enthousiasme.

Autant dès lors commencer notre correspondance avec une mise au point : c'est de tes aspirations, de tes rêves, que je veux te parler. Les sombres données, tu les connais déjà – notamment celles qui avancent que la carrière journalistique compte parmi les plus menacées : le chiffres les plus récents d'Emploi-Avenir Québec soulignent non seulement que les perspectives d'emploi sont limitées, mais aussi que la diminution du nombre de journalistes depuis le début du siècle « continuera de façon notable au cours des prochaines années ».

Admettons-le aussi, tous les questionnements qui bousculent le monde des médias ne sont pas vraiment de ton ressort. Les nouveaux outils de communication te sont familiers, et puis, s'interroger sur l'information du futur est une affaire (par ailleurs passionnante) de colloques professionnels ou de spécialistes, alors que toi, tu veux tout simplement travailler. Quant à savoir s'il faut ou non faire payer le lecteur en ligne, ou sous combien de formes il faudrait décliner une nouvelle, ce sont des décisions de patron de presse, ce que tu n'es pas... encore. (C'est toutefois un poste auquel j'aimerais bien te voir

aspirer : les femmes ne sont toujours pas très nombreuses aux plus hauts échelons de la profession.)

Et tout cela n'a rien à voir avec ton désir à toi de
devenir journaliste. Ta motivation est ailleurs, et
elle transcende les époques, puisqu'elle est en tout
point pareille à celle de tes prédécesseurs. Elle
s'appelle insatiable curiosité.

J'ai lu il y a longtemps – n'était-ce pas dans
Le Trente, le magazine de la Fédération professionnelle des journalistes du Québec, la FPJQ, sous la
plume de Nathalie Petrowski ? – le résumé parfait
de ce qu'est un journaliste : quelqu'un qui ne peut
s'empêcher de suivre le camion de pompiers qui
passe devant lui, toutes sirènes hurlantes.

J'aime cette image. Elle cerne l'essence même du
métier : qu'est-ce qui se passe ? Allons voir ! Et une
fois sur place, pas question de seulement observer, il
faut interroger les gens à la ronde : qu'est-ce qui
brûle ? Depuis combien de temps ? Y a-t-il des bles-
sés ? Comment le feu a-t-il commencé ? C'est une
belle allégorie de la raison d'être du journalisme :
comprendre ce qui, en cet instant présent, agite la
société – que ce soit sur le plan social, politique,
judiciaire, scientifique, économique, culturel... Dé-
couvrons, questionnons !

Et parce que nous vivons ensemble, parce qu'un
incendie a des effets sur tout le voisinage, il faut

ensuite partager l'information : raconter non seulement ce qu'on a vu des ravages du feu, mais aussi ce qu'on a appris des pompiers, des témoins ou des victimes. Il faut se demander, en somme, ce qu'un citoyen devrait savoir – pour des raisons qui vont de l'intérêt public à la saine curiosité, ou à la simple compassion – et le mettre à sa disposition.

Cet élan-là, cette manière d'être à l'affût des faits et de les relayer fidèlement, a été de tout temps le moteur des journalistes. Le reste est une affaire de formes, qui n'ont cessé de changer au fil du temps.

Ne va pas croire, en effet, que notre métier qu'on dit actuellement en mutation vit une période unique de son histoire : chaque génération a connu son « choc technologique » et a dû s'y adapter, comme le révèle la lecture de bien des mémoires de journalistes. J'ai pour ma part particulièrement apprécié ceux du grand correspondant de presse américain William L. Shirer, *Les années du cauchemar : 1934-1945*[1], sur lesquels il vaut la peine de s'attarder.

Shirer était basé en Europe alors même que l'Allemagne sombrait dans le nazisme. Installé à Berlin dès 1934, il couvrit la montée d'Hitler, puis la Deuxième Guerre mondiale. L'histoire du monde vue à travers ses yeux de témoin privilégié, à la fois

---

1. Paris, Plon, 1985. Traduit de l'anglais par Claude Yelnick. Réédité chez Tallandier, coll. « Texto », 2009.

fasciné et terrifié, est passionnante en soi et il en a tiré plusieurs ouvrages. Mais les souvenirs liés à la pratique souvent rocambolesque de son métier sont particulièrement éloquents pour qui veut comprendre l'évolution du journalisme moderne.

En 1937, Shirer s'est retrouvé sans emploi. Les journaux n'embauchaient pas, et les rares postes qu'on lui faisait miroiter ne se matérialisaient pas. Las d'attendre et inquiet de l'avenir – d'autant plus que sa femme et lui allaient avoir un premier enfant –, il accepta d'être recruté pour participer à une aventure journalistique encore balbutiante : la radio. Pour ses collègues, c'était toute une surprise, et pas des meilleures. Ainsi, le correspondant en chef à l'étranger du *New York Times* « avait du mal à croire qu'un journaliste aussi intelligent que [Shirer] allait passer à la radio, qui traitait les nouvelles superficiellement, et dont le public, voulait la distraction et non l'information ». (p. 134)

Mais la radio était un « métier tout neuf » qui, en dépit des critiques, tentait fort Shirer en raison des promesses qu'il offrait : « Nous donnerions peut-être une nouvelle dimension au traitement de l'information : la transmission instantanée de l'événement lui-même, du reporter à l'auditeur qui pourrait, de son living, le suivre exactement tel qu'il se produit (un grand discours de Hitler, par exemple).

C'était totalement nouveau. Il n'y avait aucun délai, pas de préparation, de réécriture de la copie comme dans un journal. » (p. 134-135)

Tirer tout le potentiel de cette nouveauté n'alla pourtant pas sans heurts, même au sein des entreprises qui s'en faisaient les hérauts. Les recrues durent en effet se plier à une règle dont on ne leur avait pas fait part lors de leur embauche : les journalistes radio ne pouvaient pas livrer eux-mêmes leurs reportages en ondes. Leur rôle était de préparer les émissions dans l'ombre, puis d'interviewer des correspondants de journaux.

C'est l'entrée des troupes nazies en Autriche, en mars 1938, qui permit de lever l'interdit. Vu l'ampleur de l'événement auquel Shirer avait assisté, puisqu'il demeurait alors à Vienne, il put enfin passer à l'antenne pour donner lui-même son récit des faits. Et il participa dès le lendemain à une autre première importante : une émission spéciale où des journalistes basés dans différentes capitales européennes étaient interviewés en même temps et en direct depuis New York. Ce « multiplex » deviendrait la norme en radio, puis en télévision, transformant pour de bon la manière même de présenter, et donc de concevoir, l'information.

Les aventures journalistiques de Shirer, en raison du contexte, sont spectaculaires. Mais toute l'histoire du journalisme est traversée par ce type de changements profonds. Au Québec même, nul besoin de remonter bien loin pour en trouver : la télédiffusion de la période des questions à l'Assemblée nationale, instaurée en 1978, a radicalement modifié les pratiques des correspondants parlementaires. En 1995, la mise en place de RDI a eu un impact tant sur les stratégies des politiciens que sur les habitudes de couverture des journalistes. Les réseaux sociaux ont encore accentué la vitesse de transmission des informations, ce qui a dès lors entraîné l'instantanéité des réactions, sans délai, sans préparation, pour reprendre les mots de Shirer. Ce sont là des transformations que j'ai vécues durant ma propre carrière, et je ne suis pas si âgée.

Et pourtant, dans cet incessant tourbillon, les fondements du métier sont restés les mêmes. C'est pourquoi je t'inviterais – premier conseil – à toujours t'efforcer de distinguer l'essentiel de l'accessoire, autrement dit, de veiller à ne pas confondre les impératifs des formes changeantes de ton métier avec ses exigences immuables.

Pour ma part, je me régale encore d'une anecdote que m'avait relatée mon ancienne collègue du *Devoir*, Kathleen Lévesque, journaliste d'enquête patentée. Il y a de cela quelques années, Kathleen venait de dévoiler une fois de plus une nouvelle exclusive et explosive, et au sujet de laquelle il fallait aller cueillir des réactions, notamment auprès des principaux concernés, qui n'avaient guère envie de commenter. Les journalistes de plusieurs médias s'étaient ainsi retrouvés devant les portes closes d'une salle de réunion où les héros du jour s'étaient enfermés. Dans l'attente, on jase. La discussion s'engage sur une comparaison enthousiaste entre les différents modèles du plus récent instrument de travail mis à la disposition des reporters : le cellulaire (j'ai bien dit que l'anecdote datait... quoique pas tant que ça !).

Kathleen, qui a écouté ses collègues, finit par lâcher que, ben non, elle n'a pas de cellulaire. Oh, les blagues ! *Le Devoir* était encore une fois à la hauteur de la longue tradition de petits moyens qui lui vaut depuis des décennies bien des taquineries. Kathleen s'y prête de bonne grâce. Mais quand les plaisanteries se font soudain plus mordantes, quand certains laissent entendre qu'elle est dépassée, la journaliste fait le rappel qui s'impose : « Et comment se fait-il que nous soyons tous ici à faire le pied de grue ? On est là grâce à qui, hein ?... De rien ! »

Si je remonte juste quelques années plus tôt, je revois encore le grand journaliste Jean V. Dufresne en mêlée de presse qui, alors que les autres reporters se pressaient les uns contre les autres pour glisser leur enregistreuse ou leur micro sous le nez de l'homme (c'était rarement une femme!) qui faisait la nouvelle, sortait son petit carnet et son crayon à mine. Alors que je m'en étonnais devant lui, évoquant mon souci de l'exactitude des propos rapportés, il m'avait simplement répondu que jamais personne ne s'était plaint d'avoir été mal cité sous sa plume...

Non, ce n'est pas le téléphone qui compte, mais le réseau de contacts qu'il permet de joindre; ce n'est pas l'équipement qui garantit la justesse d'un article: voilà une réalité qu'il est bon de rappeler en ces temps de grand remue-ménage technologique dans le métier.

Il est par ailleurs de peu d'importance qu'un reportage tire sa source d'un coup de fil, d'un communiqué de presse, d'une «enveloppe brune», d'une entrée sur Facebook, d'un chiffre extrait d'un rapport annuel, d'une conversation surprise dans un lieu public, ou d'une donnée débusquée dans les dédales d'un site ministériel: l'art du journaliste, c'est de savoir s'interroger, de vouloir comprendre sans se faire raconter des bobards et donc de vérifier ce qui lui est présenté, pour ensuite faire état de ses constats. Qu'au final tout cela se concrétise en 140 caractères ou dans un article de longue haleine, derrière un micro ou par l'image, via les nouveaux médias sociaux ou au sein d'une institution de presse centenaire, ne devrait rien changer, fondamentalement, au travail qui te sera demandé.

Je totalise aujourd'hui plus de trente années de journalisme professionnel, dont la moitié ont été consacrées à diriger des équipes de journalistes et des pigistes dans des médias très variés. J'ai été aux premières loges pour examiner les CV et les propositions de reportages de journalistes, expérimentés comme débutants. Pendant toutes ces années et encore aujourd'hui, en dépit des crises qui ont frappé notre métier, je n'ai perçu aucune différence dans l'état d'esprit de ceux et de celles qui aspiraient à y entrer. Ils débordaient d'idées, de talent, de compétences. Tous et toutes, surtout, étaient forts de la conviction que là était leur place.

Je leur ai servi bien plus souvent des lettres de refus que des invitations à collaborer : les projets qu'on nous soumet sont parfois mal ciblés ou mal ficelés, mais surtout, les ressources ne sont pas là pour répondre à toutes les idées – même les plus formidables. C'est qu'il y en a du monde sur le marché qui font ce métier que l'on dit sans avenir ! Je trouvais très frappant ce décalage entre la fragilité des médias, marqués depuis longtemps par les contraintes budgétaires, et ce défilé de jeunes gens talentueux qui exploraient le monde – au sens le plus large du mot –, et entendaient bien convaincre quelqu'un de diffuser les informations d'intérêt public qu'ils y avaient trouvées, quitte à n'être que chichement rémunérés (car la pige, sache-le, est scandaleusement mal payée). Si le secteur médiatique est d'humeur sombre, ce n'est certainement pas en raison de la faiblesse ou du manque de détermination des nouveaux candidats !

J'avoue me reconnaître dans tous ceux, toutes celles qui font le saut avec la foi profonde qu'ils finiront par y arriver.

Je suis devenue journaliste dans les années 1980, au moment où une crise économique – une autre – battait son plein. Les taux d'intérêt à deux chiffres plombaient le crédit de tout le monde, et l'embauche stagnait. Pour avoir un emploi étudiant, il fallait se le créer. Des jobs au salaire minimum, subventionnées par des programmes gouvernementaux, nous gardaient la tête hors de l'eau. Alors que je terminais mes études de droit, pour la première fois, des stages de six mois à temps plein, obligatoires pour passer le Barreau, étaient offerts sans rémunération. Les temps étaient durs, même dans les filières de choix.

Moi qui pratiquais le journalisme étudiant et livrais des articles bénévolement à mon hebdomadaire local depuis le milieu de l'adolescence, je désespérais : je voulais profondément, absolument devenir journaliste, et je n'avais aucune idée de la manière de percer le mur de ce milieu fermé, où jamais un poste n'était annoncé et dont on disait déjà que l'avenir était incertain. Les études en communication que j'avais entreprises après ma licence en droit ne m'avaient pas rassurée : il n'y avait que ça, des jeunes assoiffés qui, comme moi, avaient monté tout un dossier et passé les entrevues pour se faufiler dans le « bac en com » de l'Université du Québec à Montréal, programme des plus contingentés.

C'est pourtant aux temps durs que je dois d'avoir eu ma chance. Dans les médias, on n'embauchait pas plus qu'ailleurs : toute une génération était absente des salles de presse, ce qui commençait à poser un sérieux problème d'équilibre. Certains décideurs du milieu se sont mis à s'en préoccuper. Le quotidien *La Presse* a été le premier à réagir. En 1984, il s'est lancé dans un projet audacieux qui a demandé bien des discussions à l'interne, notamment avec le syndicat : créer un stage d'été pour des aspirants journalistes. Ce stage serait rémunéré – quoiqu'à un taux moindre que pour un journaliste débutant – et dûment encadré par des membres de la rédaction libérés à cette fin.

Ce fut un tel succès que, dès l'année suivante, nous étions des centaines à espérer décrocher l'une des sept places offertes. L'initiative de *La Presse* fut vite imitée, puisqu'en cette année 1985, consacrée Année internationale de la jeunesse par l'ONU, les offres de stages se sont multipliées dans les médias du Québec – projet d'un été pour certains, début d'une tradition pour d'autres. Tout cela a ouvert la porte des rédactions à des dizaines de jeunes, tout en donnant une bouffée d'air frais à des équipes qui en avaient bien besoin.

Cet été-là, j'ai été choisie pour le stage de *La Presse*, qui était déjà reconnu pour sa rigueur alors qu'il n'en était qu'à sa deuxième année : être sélectionnée était donc un privilège immense, qui a marqué le coup d'envoi de ma carrière.

Je ne cherchais pas un poste pourtant, je voulais simplement être publiée et j'étais prête à m'acharner pour y arriver. Je courais tous les concours, je frappais à toutes les portes et j'ai passé l'examen de sélection de *La Presse* dans un état de stress ahurissant. Il *fallait* que ça marche car je ne voyais tout simplement pas ce que j'aurais pu faire d'autre.

Cette détermination, je la remarque encore aujourd'hui chez une foule de jeunes, qu'ils soient sûrs d'eux ou perclus d'anxiété. Ils n'ont que faire des prédictions des uns et des autres, des calculs savants sur les meilleurs emplois disponibles, des scénarios sur l'avenir du métier.

Comme patronne, si j'ai opposé bien des refus aux offres qu'on m'envoyait, je classais toujours dans un dossier à part les propositions des candidats qui se démarquaient, notant ceux et celles qui ne se laissaient pas démonter, qui revenaient à la charge avec de nouvelles idées. J'étais tellement désolée de leur dire non, incapable de croire que c'était pour de bon.

J'ai toujours tenté de répondre à tous ceux qui m'approchaient, même si c'était un défi tant le temps me manquait pour accomplir tout ce que j'avais à faire dans mes journées trop courtes. Pour y arriver, j'avais recours à des formules toutes prêtes, de celles qui tiennent en une ligne mais donnent au moins l'indication qu'on a été lu. Pour les plus prometteurs, je m'efforçais toutefois d'ajouter quelques mots personnels à mes courriels passe-partout, histoire de les encourager à tenir le coup en dépit de ma réponse négative. Je leur précisais que ce n'était pas le manque d'intérêt de leur projet, mais des considérations budgétaires qui m'empêchaient de l'accepter ; s'ils revenaient à la charge un peu plus tard, avec une autre idée, qui sait ? Le « timing » est si crucial dans ce métier ! Je t'en parlerai dans ma prochaine lettre. Et régulièrement, je suis finalement parvenue à acheter une pige proposée par un passionné persévérant, parfois même à embaucher un de ces jeunes dont le CV témoignait qu'ils étaient des recrues de choix. J'en ai été chaque fois profondément ravie pour la profession. Ce souci d'arriver à donner à chacun sa chance, il est partagé par bien des patrons dans ce métier.

Tu me diras que la ténacité ne paye pas le loyer. C'est vrai, mais c'est quand même elle qui te permettra d'arriver à tes fins. Ne te laisse rebuter ni par les refus ni par le portrait général du secteur : l'industrie va mal, soit, mais le désir de s'informer n'a pas disparu. Bien au contraire : nous avons besoin plus que jamais de gens qui savent fouiller pour nous y retrouver dans nos sociétés complexes et opaques. Le journalisme est d'abord un service public, ce qui ne garantit ni le confort, ni la richesse, ni une carrière bien linéaire – mais ne les exclut pas non plus, loin de là : les stars et les nantis du milieu font rêver plus que jamais dans une profession qui a aussi beaucoup développé son vedettariat au cours des dernières années, ce dont je vais aussi te parler.

Deuxième lettre

L'ENTRÉE

Je suis donc devenue journaliste professionnelle grâce au stage qui venait d'être créé à *La Presse*. Par « professionnelle », j'entends qu'à compter de l'été 1985, j'ai pu vivre exclusivement du journalisme – certes pas toujours richement – plutôt que de le pratiquer en dilettante, en comptant sur des emplois de secrétaire l'été, ou de vendeuse dans la période des Fêtes, pour payer mes factures d'étudiante.

Cette activité journalistique m'avait néanmoins tenue fort occupée. Dès le secondaire, j'avais été d'une petite équipe qui avait lancé un journal à la polyvalente que je fréquentais. Il va sans dire que, tant au cégep qu'à l'université, j'ai maintenu une collaboration assidue avec les médias étudiants. C'est tellement la base, pour moi, que j'ai toujours considéré avec méfiance les curriculum vitæ d'aspirants journalistes qui ne mentionnaient pas une telle expérience. Il ne faut pas exclure les vocations tardives ou atypiques – il y a à cet égard de belles exceptions –, mais la concurrence est si « féroce pour les postes vacants » dans le milieu (je cite ici encore le site d'Emploi-Avenir Québec) que l'expérience de terrain est presque indispensable pour arriver à sortir du lot. Le journalisme étudiant est à la fois un lieu d'apprentissage et le témoignage d'une véritable passion pour la profession.

J'avais aussi, adolescente, frappé à la porte de mon hebdomadaire local, à LaSalle, faisant le siège de l'unique journaliste qui y travaillait. Renfrogné, il ne m'avait guère laissé d'espoir, mais, las de me voir rappliquer, il avait fini par me laisser écrire des bas de vignette, ces légendes de photos qui résument un événement en quelques lignes. Gratuitement, bien sûr. Et puis, je m'étais tournée vers les associations culturelles et communautaires de la ville afin de rédiger des textes sur leurs activités ; le reporter local me laissa dès lors occuper ce terrain selon lui peu trépidant. C'était une forme d'écriture à mi-chemin entre les relations publiques et le journalisme, un mélange des genres fort critiquable, mais qui me garantissait d'être publiée, avec ma signature... mais toujours sans rémunération. À l'époque, je n'en demandais pas davantage.

De toute manière, je disais oui à tout. La télévision communautaire venait de se renouveler et une citoyenne avait déposé un projet pour qu'une demi-heure par semaine soit consacrée à notre ville. Mise au courant de mon existence, elle m'avait contactée pour me proposer de m'occuper des entrevues socio-politiques. J'avais tout de suite accepté. L'émission s'appelait « LaSalle chez soi », et c'était d'un amateurisme total : seules les familles des membres de l'équipe et les invités devaient y jeter un œil, et encore ! Mais je n'en avais cure.

Je participais aussi aux quelques rares concours de jeunes journalistes qui existaient alors, m'y classant souvent fort bien, mais tout cela restait sans suite car je n'arrivais jamais à décrocher le premier prix. Mais j'ai eu la chance d'avoir des professeurs qui voyaient mes efforts, et qui croyaient en moi. L'un d'eux, au cégep, avait ainsi un ami qui venait de lancer une revue de cinéma, *24 images*. Il m'a encouragée à y participer. Mon intérêt pour le septième art était certes stimulé par les cours suivis dans le cadre de mon cursus en Arts et lettres, mais je n'étais pas une spécialiste. J'ai néanmoins pondu quelques billets dûment rétribués par... des entrées de cinéma. Qu'importe, mon CV s'enrichissait.

Mon premier cachet, je l'ai touché d'une tout autre façon.

L'aspirante journaliste que j'étais se butait à un grand mystère : comment entrer pour de bon dans ce métier pour y gagner sa vie ? J'avais beau scruter les petites annonces, jamais au grand jamais on n'y voyait la moindre ouverture de poste de journaliste, ni le moindre appel à collaboration. Était-ce une affaire de relations ? Même en remontant les branches les plus éloignées de ma parenté, je ne trouvais personne qui avait le plus petit lien avec le milieu. Et il n'y avait aucun journaliste, caméraman ou photographe parmi mes voisins sur la rue Bédard, à LaSalle.

Or je viens d'une famille où on lisait beaucoup : des quotidiens, évidemment, et aussi des romans populaires, des bandes dessinées, des encyclopédies destinées à la jeunesse... Mais surtout, chaque dimanche, ma mère s'arrêtait au dépanneur du coin pour acheter des piles de publications en tout genre : des magazines féminins et pour la jeunesse (bonjour *Pilote* et *Pif Gadget* !) et des titres « de copains » (nés de la vague yé-yé) venus de France, en plus de l'incontournable *Paris-Match* ; des journaux « artistiques » (en fait, à potins !) publiés ici qui se déclinaient alors en une dizaine de titres ; des journaux hebdomadaires aux noms historiques aujourd'hui disparus, comme *La Patrie* et *Le Petit Journal*, puis les hebdos de format magazine qui les ont peu à peu remplacés, comme *Le Lundi*.

C'est ma mère qui m'a signalé l'annonce : *Le Lundi*, justement, publiait chaque semaine une nouvelle littéraire qui tenait sur une page bien remplie, et le magazine souhaitait renouveler sa banque d'auteurs. Il invitait donc ses lecteurs à lui envoyer des textes.

C'était... inespéré. Certes, il s'agissait de fiction, mais moi, je ne voyais qu'une chose : la possibilité d'être publiée dans un magazine connu, vendu en kiosque, annoncé partout. Un vrai média ! Je me suis donc lancée, bricolant de mon mieux une histoire vaguement policière, que j'ai vite mise à la poste. Et j'ai attendu. Des mois.

Le temps avait passé, j'avais 18 ans, j'étais bien avancée dans ma deuxième année en Lettres au cégep et je ne pensais plus à cette bouteille à la mer. Et voilà qu'un beau jour, la réponse du *Lundi* est arrivée. Je l'ai déjà écrit dans un numéro du *Trente* consacré aux débuts de quelques journalistes : ce fut un moment de bonheur pur, de magie, un instant inoubliable qui est encore aujourd'hui l'un des plus beaux de ma vie. J'ai ouvert l'enveloppe le cœur battant à tout rompre, et lu la lettre dans le ravissement le plus total : je serais publiée, payée 50 dollars, et on m'invitait même à continuer de collaborer avec le magazine ! Je me pinçais pour y croire. Mon rêve était donc possible ?

L'affaire ne dura que le temps de six publications : *Le Lundi* mit fin à notre collaboration à cause du manque de romantisme de mes petites histoires, qui convenaient de moins en moins à la clientèle cible. Mais cet épisode me donna confiance. J'avais trouvé une brèche pour me faufiler dans le métier, j'en trouverais bien une autre. En attendant, je continuais dans la veine du journalisme « amateur ».

Quatre ans plus tard, le stage tout neuf de *La Presse* s'avéra être non pas une brèche, mais une voie royale pour entrer dans la profession. Au terme de cet été-là, j'étais pourtant persuadée que j'avais raté ma chance. Non que le stage se fut mal passé : au contraire, il avait été riche d'expériences et j'étais fière des textes publiés. Mais j'étais face à tout un dilemme : des postes s'ouvraient à *La Presse* et le journal avait décidé de recruter parmi les jeunes qu'il venait tout juste de former alors que moi, j'étais sur le point de quitter Montréal pour poursuivre mes études en communications à Paris, ce dont j'avais beaucoup rêvé.

L'hiver précédent, je m'étais en effet engagée dans un programme alors méconnu qui permettait de passer une année de scolarité à l'étranger tout en restant inscrit à une université québécoise. Mon projet avait été retenu alors que le stage de *La Presse* était encore lointain. En cette fin d'août 1985, les arrangements étaient pris et le billet d'avion, acheté : Paris m'attendait. Et voilà qu'on nous parlait de postes, de collaborations... Fallait-il rester, fallait-il partir ? J'ai hésité, mais mon projet était trop avancé ; j'ai donc mis le cap sur Paris, la mort dans l'âme. Ah ! folles angoisses de la jeunesse ! Mais je peux te l'affirmer aujourd'hui : toute la vie ne se joue pas à vingt ans.

Il est vrai que, cette année-là, je vis mes ex-collègues stagiaires être embauchés, ou multiplier les piges. Moi, j'ai bien placé quelques collaborations avec *La Presse* depuis Paris, mais je manquais trop de repères dans cette société inconnue pour faire preuve d'une grande originalité. Surtout, surtout, le quotidien de la rue Saint-Jacques avait déjà en Louis-Bernard Robitaille un correspondant d'expérience sur place. Ses besoins de couverture parisienne étaient parfaitement comblés. Je me concentrai donc sur mes études tout en profitant de Paris et de quelques autres capitales européennes. Mais j'étais tenaillée par la conviction que je venais de saborder ma carrière.

Et puis, en mai, surprise, je ne reçois pas un, mais deux appels à la Maison des étudiants canadiens, où je logeais. Une journaliste venait de tomber malade et *La Presse* avait urgemment besoin de quelqu'un pour tenir l'horaire du soir pendant l'été.

Les stagiaires de l'été précédent étant tous occupés, il ne restait que moi. Est-ce que j'étais intéressée? Devine.

L'autre appel me laissa bouche bée. Au bout du fil, on me priait de garder la ligne : *Marc Laurendeau allait me parler*. Il faut que tu mesures bien mon émoi. Après sa brillante carrière d'humoriste, l'ancien des Cyniques était devenu journaliste. Déjà fort d'une notoriété artistique, le chroniqueur et animateur d'émissions d'affaires publiques avait vite acquis un statut de vedette. Pour ma part, j'aimais ses opinions et son approche de la chose publique : il était un modèle, celui que j'avais imité en allant, comme lui, chercher un diplôme en droit avant de me lancer en communications. Et voilà que mon idole m'appelait en personne !

Et que m'offrait-il ? De devenir dès septembre l'une de ses recherchistes pour sa chronique à *Télé-service*, émission très estimée que diffusait la chaîne publique qui s'appelait alors Radio-Québec (renommée Télé-Québec quelques années plus tard). Marc, qui tenait également à l'époque une chronique hebdomadaire à *La Presse*, avait entendu parler de moi à cause du stage de l'été précédent, et avait vu d'un œil très favorable les études en droit mentionnées dans mon CV. Il était disposé à me rencontrer pour finaliser l'embauche.

Je ne sais plus si je l'ai clairement remercié, ou si je n'ai réussi qu'à balbutier quelques mots. Ce dont je me souviens, c'est que je me suis accrochée à la tablette du téléphone mural commun installé dans le grand couloir de la résidence étudiante (tant pis pour l'intimité !). Moi qui croyais avoir gâché ma vie ! J'en avais les jambes coupées.

J'ai laissé tomber mes projets de balades en Europe et suis rentrée à Montréal dès juin. Cette fois, j'avais vraiment mis le pied à l'étrier. Les emplois dans la presse se succéderaient pendant trente ans, au fil de rencontres marquantes et de formidables hasards. Mais aucun n'aura été aussi déterminant pour moi que ce tournant des années 1985-1986.

Si je te raconte tout ça, c'est parce que, même si mon histoire a quelque chose d'assez unique, elle est aussi, en dépit des apparences, plutôt typique.

Ma carrière est le fruit de nombreuses coïncidences. Quand on m'avait invitée, il y a une douzaine d'années, à parler de mon parcours devant des étudiants en journalisme, j'avais détaillé comment, de fil en aiguille, choyée par le destin et sans toujours l'avoir cherché, j'avais progressé dans le métier. J'avais terminé cet exposé tout sourire, ravie de ma bonne fortune, prête pour la période de questions. Un étudiant y était plutôt allé d'un commentaire un peu acerbe, du type : « Merci pour le conte de fées, mais quand on n'est pas aussi chanceux, qu'est-ce qu'on fait ? » Ramenée brutalement sur terre, décontenancée, je n'avais trop su quoi lui répondre.

Aujourd'hui, forte de mon expérience de patronne de presse, je dirais d'abord que des tas de journalistes ont des histoires abracadabrantes à raconter sur leur entrée dans le métier. Les coups de chance sont presque la règle : on croise la bonne personne au bon moment, notre CV atterrit sur le bureau d'un patron pile-poil le jour où il a besoin d'un remplaçant... Ces moments où le sort nous sourit sont un élément intrinsèque d'un métier où le recrutement se fait toujours très discrètement.

Il est vrai que, pendant des années, des stages ont tracé une piste à suivre pour de nombreux aspirants journalistes, mais il en reste trop peu. Les sites internet, comme celui de la FPJQ, relaient certains affichages de postes, mais ceux-ci sont souvent temporaires. Néanmoins, une fois qu'on a un pied dans la place, tous les espoirs sont permis. De même, les liens informels qui existent entre les enseignants en journalisme et les salles de rédaction ont conduit à l'embauche de jeunes tout frais sortis de l'université, ou parfois encore aux études. Et la FPJQ consacre, depuis des années, un moment de son congrès annuel à des « rencontres professionnelles décontractées » entre cadres de médias et journalistes étudiants ou pigistes : ce *speed dating*, comme on l'appelle, est toujours fort couru.

J'insisterais moins par ailleurs sur ces hasards heureux qui font une carrière et davantage sur la nécessité de saisir les occasions dès qu'elles se présentent. Se placer dans ce métier – qu'il s'agisse d'entrer dans une salle de presse, de décrocher un contrat en bonne et due forme ou de devenir le collaborateur régulier d'un média – est difficile. Et pourtant, j'ai connu des jeunes qui ont raté le train parce qu'ils ne l'ont pas vu passer, ou ont eu peur d'y monter.

Ce que tu dois comprendre, c'est que cet état d'esprit journalistique dont je te parlais dans ma première lettre, le fait d'être constamment à l'affût, doit d'abord s'appliquer à ton propre parcours. Offrir un reportage est une démarche élémentaire, savoir se lancer dans le vide quand un début d'ouverture nous est fait est un réflexe qui se cultive.

Alors que j'étais directrice de l'information au *Devoir*, je me suis retrouvée un beau jour dans une drôle de situation : il me fallait trouver un reporter pendant l'été. C'était inhabituel, parce que les médias croulent normalement sous les propositions et ne manquent pas de surnuméraires pour combler leurs besoins estivaux. Mais cette fois, la multiplication de permanents malades ou en vacances avait fait en sorte qu'alors que tous les employés surnuméraires avaient été inscrits à l'horaire, il restait encore des cases à combler. De plus, les CV que j'avais mis de côté commençaient à dater, ou témoignaient de beaucoup trop d'attentes ou d'expérience, alors que je n'avais que quelques journées de travail à offrir. Mais ce serait des jours éprouvants : vacuum de l'été oblige, avec la moitié des cadres de la rédaction en vacances, il me fallait trouver quelqu'un qui serait immédiatement solide et autonome.

Je m'en étais ouverte à l'un de nos chefs de pupitre qui, chargé de cours en journalisme à l'UQAM depuis des années, avait le pif pour identifier parmi ses étudiants ceux qui seraient aptes à travailler au *Devoir* – bien des journalistes surnuméraires ou aujourd'hui permanents lui doivent leur entrée au journal. Il m'avisa que, justement, il avait dans son atelier sur la presse quotidienne un étudiant qui se démarquait : un esprit vif, un débrouillard. Il lui semblait toutefois que le jeune homme s'était déjà trouvé un emploi pour l'été. La session universitaire achevait, ma demande arrivait vraiment à la dernière minute ! Mais mon collègue sonderait tout de même le terrain.

L'approche tourna court. Interrogé sur ses projets, l'étudiant répondit qu'il était sur le point de partir travailler toute la saison dans un journal des Maritimes – la discussion en resta là.

Mais l'étudiant, vraie graine de journaliste, se mit à douter : d'où venait cette curiosité soudaine de son prof ? Le lendemain, il s'empressa de le relancer : « Pourquoi au juste est-ce que vous m'avez questionné, hier ? » À question directe, réponse franche : « Parce que tu aurais pu travailler deux semaines au *Devoir* en juillet. » « Ah monsieur, oubliez ce que je vous ai dit alors ! Tant pis pour les Maritimes, et tant pis pour la perte de salaire, je suis partant ! »

L'étudiant fit donc les quelques jours de remplacement prévus, et s'en tira mieux que bien. Dans les mois qui suivirent, on l'appela de plus en plus souvent pour donner un coup de main et il finit par être embauché pour de bon, devenant l'un des correspondants parlementaires du *Devoir*. Foi de patronne en chasse, il aurait attendu 24 heures de plus pour réagir que ç'aurait été trop tard...

Il m'est par ailleurs arrivé quelques fois de signaler à des jeunes qui semblaient s'intéresser vivement au journalisme que c'était le bon moment pour envoyer un CV et une lettre de présentation. Pris par leurs études ou débordés par un contrat, certains ont laissé passer l'occasion. Elle ne s'est pas représentée. J'en ai vu d'autres qui, en stage ou comme débutants dans différents organes de presse où j'ai travaillé, restaient en retrait, traînaient les pieds, rechignaient devant les contraintes, s'absentaient pour des maladies anodines ou refusaient les heures qu'on leur offrait sans motif très clair – comme s'ils ne mesuraient pas leur chance. Inutile de te dire que leur aventure a, elle aussi, tourné court.

Il est vrai qu'il n'est pas toujours facile de comprendre la marche à suivre, d'interpréter certains signaux, dans un univers où les règles et la culture varient d'une entreprise à l'autre.

À mes débuts, après une année passée comme recherchiste auprès de Marc Laurendeau, j'avais constaté que la télévision m'attirait bien moins que la presse écrite. Je n'avais donc pas renouvelé mon contrat et m'étais mise à la recherche de piges. Une collègue de *Téléservice* m'avait conseillé d'appeler une de ses amies qui travaillait à La Presse Canadienne, agence de presse à laquelle tous les médias faisant de l'information quotidienne au Québec étaient à l'époque abonnés.

Pas très à l'aise à l'idée d'approcher quelqu'un qui n'était pas dans une position d'autorité et que je ne connaissais pas, je m'étais néanmoins exécutée. L'amie de ma collègue m'avait fort gentiment reçue, m'expliquant que La Presse Canadienne avait de fait souvent besoin de surnuméraires pour remplacer les permanents en congé. Il ne semblait pas y avoir de postes vacants pour le moment, car les horaires de l'été étaient déjà établis, mais qui sait? Elle me donna les coordonnées du grand patron, à qui je téléphonai aussitôt.

Je tombai sur quelqu'un qui me fit vite comprendre qu'il était fort occupé : sur un ton expéditif, il me dit de lui envoyer mon CV dans la semaine. Et il raccrocha. J'avais beau la jouer fonceuse, j'étais en fait (et je suis encore !) quelqu'un de réservé. Tout s'était passé très vite, j'avais eu l'impression de déranger, je croyais que le patron avait voulu couper court à un appel importun. Je n'allais quand même pas en rajouter en me précipitant dès le lendemain à leurs bureaux pour y porter mes documents ! (Je te rappelle que le courriel n'était pas encore inventé.)

J'ai donc patienté une semaine avant de me rendre à La Presse Canadienne, persuadée au fond de moi que ce patron avait oublié mon existence. Erreur ! Je fus accueillie par un très sec : « Je vous avais dit que j'attendais ça la semaine passée ! » J'étais catastrophée ! Mais bon, j'avais quand même sur mon CV le stage à *La Presse* et le nom de Marc Laurendeau, ce qui attirait fortement l'attention, et je réussis haut la main le test d'entrée exigé par l'agence pour y faire de la traduction de textes de presse venus du secteur anglais. Je devins surnuméraire sur-le-champ, dorénavant assurée d'avoir quelques heures de travail chaque semaine.

J'ai compris deux choses dans cette affaire. D'abord, qu'il est bien rare que les patrons de presse fouillent dans leurs tiroirs débordants de CV plus ou moins à jour quand ils ont soudainement besoin de quelqu'un – et les événements inattendus qui chamboulent les horaires ou la planification ne manquent pas dans les médias. Mais surtout, j'ai appris une leçon qui me servirait beaucoup comme journaliste et comme dirigeante. Quand on voit s'entrouvrir la porte d'une entreprise de presse, on y met le pied sans hésiter, même si c'est pour une tâche *a priori* éloignée de nos ambitions professionnelles : traduire des textes, faire de la mise en ligne, rédiger des bas de vignette, être commis à la rédaction, qu'importe. Crois-moi, aujourd'hui comme hier, il y a des occasions de se faufiler, et il ne faut en négliger aucune.

L'ICI ET L'AILLEURS

Jeune journaliste, franchement tu m'impressionnes !
On dit de ta génération qu'elle n'a plus de culture
générale, qu'elle est centrée sur elle-même et qu'elle
a des intérêts très limités, et toi, tu débarques parlant trois, voire quatre, langues et affichant un savoir
encyclopédique sur le cinéma, les courses de vélo et
la littérature sud-américaine (ou la Seconde Guerre
mondiale, les mouvements contestataires et l'art
numérique, que sais-je ?) – bref, tu m'arrives bardée
d'une somme de connaissances qui met à mal tous
les clichés.

Et puis, tu as déjà beaucoup voyagé, bien plus
loin que l'Europe ou la Californie, qui étaient les
confins de l'exotisme pour tes parents. Les villages
du Sri Lanka, la vie mouvementée à Mexico, les cou-
leurs d'Haïti, la coopération au Mali, tu les as goûtés

et appréciés. Et, toujours partante pour l'aventure, tu rêves déjà à ton prochain départ.

À tes yeux, qui dit voyages dit reportages, et tu en as fait grâce à des bourses réservées aux jeunes ou, mieux, aux jeunes journalistes. Comme tu es pigiste, tu as un certain contrôle sur ton temps : tu peux bricoler ton horaire pour t'envoler à tout moment. Tu prépares néanmoins tes périples avec soin. Et te voilà qui soumets des propositions élaborées de reportages – des textes, des photos, des vidéos – à des patrons de presse qui te disent... non.

Voici donc venu le moment de te parler de l'écart pénible qu'il y a entre tes aspirations et la réalité vécue au sein des entreprises de presse d'ici. L'information internationale en est un exemple parfait. Au Québec, elle ne vend pas.

Je sais, je dis les choses crûment. Ça doit te paraître d'autant plus surprenant que ça vient de quelqu'un comme moi, cataloguée journaliste intello, curieuse de tout et partisane d'un contenu fouillé, et qui a dirigé la salle de rédaction d'un journal au lectorat exigeant et ouvert sur le monde. Je pourrais glisser sur le sujet et te laisser faire ces découvertes par toi-même – d'ailleurs, je t'y encourage. Mais voilà, comprendre tôt certaines réalités permet de s'éviter des déceptions, et aussi, de savoir ce qu'on affronte.

Mais d'abord, encore une mise en garde : je ne suis pas en train de te dire que l'information internationale n'est pas importante, ou que la présence de reporters québécois autour du monde n'a pas de valeur. Ce dont je veux te prévenir, c'est du décalage énorme entre l'offre journalistique potentielle et l'intérêt réel que les gens ont pour ces sujets.

Régulièrement, des études comme celle que mène annuellement la firme Influence communication mesurent la place que prennent différentes catégories de sujets dans les médias d'ici. Les nouvelles internationales sont généralement le parent pauvre du lot, en queue de peloton et en baisse depuis des années. Seuls des événements spectaculaires qui surviennent dans des pays aimés et fréquentés par les Québécois, comme les attentats de *Charlie Hebdo* et de novembre 2015 à Paris, ou le tremblement de terre en Haïti en 2010, contredisent la tendance. Ces trois exemples précis se sont même classés aux premiers rangs parmi les événements les plus médiatisés de la dernière décennie.

Mais le « tout-venant » de l'information internationale ne se démarque pas. Le Québec compte pourtant de grands journalistes de terrain spécialistes de l'étranger, les Michèle Ouimet, Sylvain Desjardins, Michel Labrecque, Marie-Ève Bédard et tant d'autres, qui poursuivent le travail d'illustres prédécesseurs comme René Lévesque, Judith Jasmin, Pierre Nadeau, Jean-François Lépine... Et le travail d'analyse que livrent François Brousseau, Agnès Gruda, Christian Rioux ou Guy Taillefer est d'une grande finesse. La qualité est clairement là, mais le sujet ne fait pas courir les foules. Ainsi, en 2012, l'« inter » est arrivé au 19e rang des priorités médiatiques. Son position-nement s'est un peu amélioré depuis, mais il reste largement en deçà de ce que les gens d'Influence communication observent dans les autres médias du monde.

Cette piètre performance de l'information inter-nationale est regrettable, et elle s'explique en partie par les contraintes budgétaires qui ont conduit de grands médias comme Radio-Canada à abolir des postes de correspondants étrangers. Tous les organes de presse tendent donc aujourd'hui à se tourner da-vantage vers les agences.

Mais il faut ajouter au portrait des considéra-tions sociopolitiques plus profondes. C'est la poli-tique étrangère américaine qui est largement en cause derrière les reportages internationaux du *New York Times* ou du *Washington Post*, et les analyses des grands hebdomadaires français sur le Maghreb et le Moyen-Orient sont fascinantes parce que la France a partie liée avec ces régions du monde depuis au moins Napoléon, et parce que les joutes politiques qui secouent les gouvernements français successifs sont marquées par leur action internationale. Les grandes puissances, les pays à forte activité diplomatique, ont des sphères d'intérêt direct à l'étranger, et leurs médias ont dès lors tendance à couvrir en détail ce qui s'y passe.

Vu d'ici, bien des enjeux internationaux paraissent « hors de portée », parce que le Canada n'est pas une puissance mondiale et qu'il a, de surcroît, délibérément délaissé le travail diplomatique avec l'arrivée au pouvoir des conservateurs en 2006 : c'est près de dix ans de négligence à rattraper. Si le monde nous semble lointain aussi, c'est parce que le Québec n'est pas un pays et que l'envergure de son rôle sur la scène internationale est dès lors très dépendante de l'intérêt et du sens de l'histoire de ses gouvernants. Il y a une impulsion et un exemple politiques à donner pour que les Québécois se sentent véritablement concernés par leur place dans le monde. Hélas, la hauteur de vue de nos élus s'est délitée au fil du temps. Notre champ de vision hors de nos frontières s'est peu à peu réduit à la culture et à quelques grands dossiers économiques, et encore. La presbytie de nos politiques internationales nourrit la désaffection du public, donc l'intérêt des médias pour le sujet. En cette matière comme en bien d'autres, on ne peut dissocier l'état de la presse de celui de l'ensemble de la société et, plus particulièrement, de la conduite des affaires de l'État.

Je préciserai aussi qu'en dépit des sondages qui assurent que le public québécois « aime » l'information internationale et souhaiterait qu'on lui en donne davantage, il n'en est pas si avide. J'invoquerai à cet égard mes souvenirs de patronne débutante, pleine de bonnes intentions. Forte de toutes les théories sur les attentes élevées des lecteurs, j'étais déterminée à donner à l'inter toute la place qui lui était due. Il aurait fallu que tu voies la courbe descendante des ventes du *Devoir* la semaine où j'avais souhaité que la guerre de Gaza de 2008-2009 soit quotidiennement en manchette, « en haut de pli de la une », comme on dit. C'était un sujet majeur, et les articles étaient originaux, bien écrits, documentés. Mais voilà : les guerres, si terribles et si lourdes d'enjeux qu'elles soient, le lecteur s'en lasse très vite. Peu importe ce qu'il raconte aux sondeurs.

Je pourrais aussi parler de la guerre du Liban de 2006, autre sujet qui s'imposait pour la une, mais qui rebutait les lecteurs, alors même que la communauté libanaise est très fortement représentée à Montréal. Et combien de dossiers internationaux du samedi, de très haute tenue, joués en une, n'ont pas reçu l'attention qu'ils méritaient d'un lectorat comme celui du *Devoir* ?

Certes, je parle ici des ventes d'un journal papier, dont l'analyse reste toujours un peu impressionniste. Mais, maintenant que l'intérêt des lecteurs sur le Web et sur les versions tablettes des médias se mesure très précisément (qu'est-ce qui est lu, combien de temps, jusqu'où dans l'article), le constat se confirme : l'information internationale n'est pas « populaire ».

Je ne voudrais en aucun cas te pousser à conclure qu'il ne faudrait pas te consacrer à cet immense sujet, mais je te devais ce conseil pragmatique : si tu veux placer un reportage, c'est un pari très audacieux de miser sur l'inter. Non seulement tu devras passer la barrière de la réserve première de patrons qui cherchent à assurer la survie de leur journal, donc à garantir la « rentabilité », en termes d'auditoire, des textes qu'ils achètent, mais tu seras aussi en concurrence avec de très nombreux journalistes.

D'abord, il y a tous ces jeunes Québécois comme toi, qui courent le monde et multiplient les offres à la presse. S'ajoutent les journalistes de la francophonie qui manquent de travail chez eux – notamment en France, où le milieu journalistique déborde et est encore plus impénétrable qu'ici – et frappent aux portes des médias du Québec pour offrir des reportages en provenance du monde entier. Or, je te rappelle que l'inter est déjà bien desservi par les agences de presse auxquelles tous les médias d'actualité quotidienne sont abonnés. Plusieurs entreprises de presse ont aussi des ententes avec des médias étrangers qui leur permettent de reprendre leurs textes. Concurrencer *Le Monde* ou *Libération* sur des événements du jour n'est pas chose facile ! Enfin, même avec des budgets restreints, les grands médias ont aussi leurs correspondants : Paris ou Washington, par exemple, sont des terrains déjà bien occupés. Et n'oublie pas que nombre de journalistes permanents sont aussi friands de voyages que toi : être dépêché à l'étranger pour traiter un sujet international est souvent pour eux une récompense méritée. Tu admettras qu'il y a là de quoi méditer en remplissant ton sac à dos.

Bien sûr, il y a des cas d'exception : se trouver au Népal lors d'un effroyable tremblement de terre est une situation si unique qu'il ne faut pas hésiter à contacter un média pour lui vendre des textes, des photos, des vidéos ; de même, témoigner des bouleversements que cause une minière canadienne dans une région sud-américaine est un sujet susceptible d'intéresser des lecteurs d'ici. En tout cas, c'est le genre de propositions qui m'ont fait recourir avec plaisir au petit poste budgétaire que *Le Devoir* réservait aux piges ponctuelles. Mais l'analyse du commerce entre le Niger et Dubaï, non ; et la couverture par un pigiste d'une campagne électorale en Grande-Bretagne, pas plus.

Si je te fais toute cette explication, c'est pour t'inciter à exercer une certaine retenue dans ton enthousiasme planétaire, mais aussi, pour t'inviter à ouvrir les yeux sur le monde qui t'entoure. Car ce qui attire immanquablement l'attention des patrons de presse, c'est tous ces sujets d'ici qui passent entre les mailles du filet. Ceux qui, dans un quotidien, ne relèvent de personne en particulier ; ceux qui, dans une approche plus magazine (papier, Web ou télé), font voir autrement des phénomènes sociaux. La couverture des grands médias est tellement métropolitaine que tout ce qui sort de Montréal ou de Québec est une terre en friche, aussi riche à explorer, à mon sens, que les contrées du bout du monde. Avec cet avantage marqué que la concurrence ne s'y bouscule pas.

Concrètement, cela signifie qu'en tant que rédactrice en chef, une proposition en provenance des Laurentides ou de la Gaspésie captait mon attention et méritait une plus longue évaluation que les topos internationaux qui m'étaient soumis. *Le Devoir*, pas plus que les autres quotidiens, n'a de correspondants en région, alors que les enjeux nationaux y ont souvent des répercussions qui sont évocatrices pour tous les Québécois – la gestion du secteur de la santé

par exemple, ou les vigoureux débats environnementaux autour de projets de développement. De la
même manière, j'avais accepté, en partenariat avec
l'Office national du film, un formidable projet d'un
jeune vidéaste... fraîchement débarqué de France !
Jérémie Battaglia (dont la carrière connaît maintenant tout un essor) a fait le tour du Québec durant la
campagne électorale de 2012 pour parler de démocratie avec trente électeurs aux profils des plus di-
versifiés. Il a réuni ses portraits dans une série de
capsules vidéos intitulée *Le poids d'une voix*, que
nous avons égrenée quotidiennement sur le site du
Devoir pendant un mois.

Même Montréal peut être vu autrement. Ainsi,
encore au *Devoir*, nous avons acheté la proposition
d'un jeune pigiste qui avait passé du temps avec des
victimes de la reconstruction de l'échangeur Turcot,
expulsées d'un édifice qui était devenu un milieu de
vie très particulier. Valerian Mazataud en a tiré un
magnifique reportage photo et vidéo. De même, une
équipe de jeunes pigistes a pu réaliser un projet ori-
ginal de déambulation sur la rue Ontario, expressé-
ment conçu pour la nouvelle application tablette du
journal.

Quand je travaillais comme adjointe à la rédaction au magazine *L'actualité*, où je supervisais notamment la rubrique consacrée aux brèves, il était

clair que les sujets émanant des régions du Québec avaient la cote. Oubliés par les quotidiens, leur intérêt dépassait pourtant largement la nouvelle locale : protection du patrimoine, commerce international de produits régionaux, projets originaux de soutien à la communauté, préservation des terres agricoles, expositions valant le détour...

Les nouvelles locales ou régionales ne dominent certes pas le palmarès des grands thèmes traités par les médias (comment espérer surpasser les sports ou les remous à l'Assemblée nationale ?), mais elles devancent largement l'international dans l'intérêt des lecteurs. Médiatiquement parlant, la banlieue de Montréal est, depuis fort longtemps, une région éloignée : c'est dire s'il y aurait de quoi y puiser ! Et pourtant, les médias reçoivent bien peu de propositions de ce type de la part des pigistes.

L'autre manière de comprendre le monde sans nécessairement en faire le tour, c'est évidemment de te trouver une spécialité. Je dis « évidemment » parce qu'il saute aux yeux que bien des journalistes ont leur créneau : la politique, le théâtre, les sports, l'économie, la science, le cinéma, l'international... Les salles de rédaction sont d'ailleurs divisées par « beats », ou secteurs de couverture : les spécialistes de la politique sont ici, les gens de la culture, dans ce coin-là, le secteur « général » (éducation, santé, environnement, etc.) loge entre les sports et l'économie, les journalistes d'enquête, tous pendus à leurs téléphones, se retrouvent dans le fond de la pièce alors que la gang des faits divers, elle, patrouille sur le terrain !

Toutefois, il y a une réalité que tu pourrais mal mesurer : on n'exige aucune expertise d'un jeune journaliste qui entre dans une salle de presse. Bien au contraire, ce qu'on attend de lui, c'est une polyvalence à la puissance 10. Tu devras être plus généraliste que tes aînés qui, eux, ont développé un créneau dont ils ne sortent plus guère. Dans un quotidien par exemple, on s'attend à ce que, dans la même semaine – et souvent dans la même journée ! –, tu fasses des reportages sur les sujets les plus divers, et parfois complexes : le point de presse d'un ministre à couvrir, un jugement à décortiquer, les réactions à un projet de loi à aller chercher, une manif nocturne à suivre, etc. Après tout, le nouveau journaliste travaille souvent à des heures indues : le soir, quand tout peut se produire, même à cinq minutes de la tombée ; la fin de semaine, où soit tout arrive en même temps, soit rien ne se passe – et il faut quand même remplir le journal, le site Web ou le bulletin de nouvelles ! ; ou en remplacement d'employés malades qu'il faut relever immédiatement. L'inattendu est la règle, et il faut l'accueillir en ayant toujours l'air de maîtriser la situation, histoire ne pas stresser les pupitreurs qui attendent des textes ou des topos et sont bien souvent dubitatifs quant aux capacités d'un nouveau venu sur qui repose la fin de leur journée.

À quoi comparer ce défi? À celui du jeune prof qui commence sa carrière dans les classes les plus difficiles, peut-être? Il y a de quoi avoir des papillons dans l'estomac. On les évoquera un jour en rigolant, mais certainement pas sur le coup, tant il est impératif de sauver la face, d'assurer. Certains se cassent le nez royalement durant leur première expérience, mais quand on passe au travers, on a gagné ses galons.

Tout ça m'a causé bien des sueurs froides à mes débuts, et je ne doute pas que la relève traverse les mêmes tourments. Je n'ai néanmoins pas su, en tant que patronne, comment changer cette manière pas très rationnelle de fonctionner. Je veux donc saluer tous ces jeunes qui, chaque jour, trouvent le moyen de se «virer sur un dix cennes» pour combler les besoins des salles de rédaction. Je connais les conditions de ce numéro de haute voltige qu'ils exécutent sans filet, et c'est pour ça que, souvent, ils m'épatent davantage que bien des journalistes expérimentés.

Le pire, c'est que les recrues appelées à la rescousse et de qui on exige tant n'arrivent pas nécessairement à gagner leur vie avec ces remplacements.

Les généralistes de service doivent se démener pour garder les deux pieds dans la pige. À cette étape de ta carrière, paradoxalement, c'est la spécialisation qui te sauvera la vie!

Mais laquelle choisir, me demanderas-tu? Je serais tentée de te répondre: celle qui n'est pas trop envahie.

Dans les domaines où les journalistes permanents sont légion – le sport et la politique, par exemple –, il te faudra tout un talent pour dénicher des nouvelles ou des angles de traitement qui te permettront de te démarquer comme pigiste. Dans ces secteurs, on acquiert plutôt son expérience dans les hebdos, sur les ondes des radios ou des télévisions régionales, ou parce qu'on a fait peu à peu sa place, à force de remplacements, dans un média d'actualité quotidienne.

Le monde culturel est aussi bien encombré, mais c'est déjà autre chose, car dans certains domaines, les spécialistes sont très peu nombreux. C'est le cas de la danse, de la musique classique, des essais, de la BD, de la poésie... Je t'entends soupirer: «Ben voyons, la poésie! Combien de médias en parlent? Déjà que la place consacrée à la littérature se rétrécit comme peau de chagrin, alors la poésie, pfft! Il faut quand même que je vive!» Exact: ta palette de journaliste devra être bien plus large, mais si tu es l'une des seules expertes de la poésie québécoise contemporaine, ou l'une des rares journalistes à vraiment suivre la danse, ça te donne une longueur d'avance auprès de publications spécialisées, ou quand vient enfin le moment où un média généraliste aimerait que l'entrevue de telle artiste, la recension de telle œuvre, l'article sur le décès de tel grand nom soit signé par quelqu'un qui s'y connaît vraiment.

Le même commentaire s'applique partout – à l'univers scientifique par exemple, ou au secteur économique. L'astronomie te passionne? Tant mieux. Tu n'en vivras pas, mais ça pourra t'ouvrir des portes, te faire sortir du lot. Tout connaître de l'histoire de l'agriculture au Québec, des pratiques de sociofinancement ou du marché immobilier peut servir d'assise aux reportages les plus divers. Et si, malgré ma mise en garde, c'est décidément l'étranger qui te fascine, soit. Vas-y. Mais fais-en un véritable créneau, pas du tourisme journalistique.

Dès mon entrée dans le métier, je me suis pour ma part plongée dans ce qui me passionnait depuis toujours, le dossier de la condition féminine – un sujet facile à faire mousser et à adapter, vu le grand nombre de magazines s'adressant aux femmes, à l'époque comme aujourd'hui. Mais j'avais un autre domaine d'intérêt: les pauvres. Les petits travailleurs, les non-syndiqués, les mal pris. C'était moins accrocheur, mais j'ai pu malgré tout vendre quelques articles sur ce thème. Surtout, j'ai acquis une sensibilité sociale, des connaissances et une longue liste de contacts qui m'ont servi pour une foule de reportages par la suite.

Je connais des journalistes passionnés de baleines, d'aéronautique, de physique quantique, de science-fiction québécoise ; d'autres sont des spécialistes du post-humanisme, des musiques du monde, de l'armée canadienne, des guerres de motards ou de l'underground montréalais. Alors foin de préventions : les intérêts les plus pointus peuvent te mener loin.

Un dernier exemple ? Jean-Benoît Nadeau, grand pigiste devant l'éternel (il en a fait un art de vivre, qu'il a bien expliqué dans des guides destinés aux journalistes), s'est développé un créneau extrêmement précis, unique : la langue française, dans toutes ses déclinaisons – sociales, politiques, historiques, diplomatiques... Il passe sa vie à parcourir le monde en quête de reportages, de chroniques ou parce qu'il est invité pour parler de sa spécialité. Tu vois, tout peut finir par te faire voyager !

Quatrième lettre

DE FAITS OU D'OPINIONS

Je me suis souvent réjouie d'avoir œuvré très tôt dans ma carrière dans une agence de presse. Le travail y est défini de façon claire et nette : on est au service de la *nouvelle* au sens le plus strict qui soit. Cela implique de s'en tenir aux faits et d'accepter que la signature d'un reporter soit pour ainsi dire offerte en option aux journaux qui publient les dépêches.

Tout journaliste d'agence sait en effet que son texte, une fois arrivé dans le média qui retient les services de ladite agence, risque fort d'être réduit, parfois de façon draconienne, et que même s'il est publié au complet, sa signature est tout à fait susceptible de disparaître pour ne laisser que les identifiants « La Presse Canadienne », « Reuters » ou « AFP ». Le travail en agence de presse n'est pas en soi synonyme d'anonymat, mais on n'y atteint assurément pas la célébrité.

Il y a de plus une manière très précise d'écrire, dans ces organisations. L'entrée en matière, le *lead* comme on l'appelle, doit répondre aux questions de base du métier : qui, quoi, quand, où, comment, pourquoi. Le texte qui en découle doit s'abstenir de qualifier d'une quelconque façon les faits exposés. Il se développe en partant des plus importants éléments de l'événement couvert pour en arriver aux points de détail, en incluant le rappel de certaines données factuelles s'il s'agit d'une histoire qui court depuis plusieurs jours. Surtout, chaque paragraphe doit être autonome, détachable de celui qui le précède et de celui qui le suit, de sorte que si le texte est coupé par un des médias qui le reçoit – et il le sera ! –, il ait quand même l'air d'être complet. On est très loin du journalisme petit cousin de la littérature. C'est une mécanique qui est à l'œuvre, ici.

C'est surtout une formidable école de modestie. Dans une agence comme La Presse Canadienne / The Canadian Press, les textes arrivent dans les deux langues. Ils sont donc traduits à l'interne, souvent raccourcis dès cette étape et parfois retravaillés pour s'assurer de la compréhension du public auquel ils sont destinés. Du fait de ce seul exercice, le nom de l'auteur passe souvent à la trappe avant même de quitter l'agence. Si l'on n'accepte pas l'idée de s'effacer derrière la nouvelle, on peut en être très malheureux. Mais il n'y a pas meilleure école pour comprendre que le journalisme, c'est d'abord de l'information à livrer, sans jugement ni commentaire.

Théoriquement, c'est d'ailleurs le mode d'emploi qui prévaut pour tous les reporters, peu importe le média. Mais dans les faits, à l'ère du «journalisme personnalisé», le modèle a perdu bien de sa pureté et il ne reste plus que les agences de presse pour respecter à la lettre le principe d'une écriture journalistique efficace mais impersonnelle. Me voir vanter ainsi leur méthode doit te paraître étrange. Je trouve qu'il est important de le faire. D'abord, parce qu'il y a dans le milieu un certain snobisme à l'égard du travail d'agence, comme s'il s'agissait d'un volet mineur du métier, alors que ç'en est l'armature. Ensuite, parce qu'il n'est pas rare aujourd'hui de voir des jeunes qui débutent faire des démarches auprès des médias en leur proposant directement leurs services comme chroniqueurs, blogueurs, critiques ou analystes. Ça me donne chaque fois une furieuse envie de répondre : « Et pourquoi pas des brèves ? » ...Ou de la traduction à La Presse Canadienne.

Mon réflexe, je te l'accorde, contredit l'air du temps. Les chroniqueurs de toutes générations pullulent dans les multiples formes que prend le journalisme, et le ton engagé, les affirmations tranchées, les jugements péremptoires sont légion. Ce n'est pas forcément un mal, mais chaque fois ou presque, je ne peux m'empêcher de me demander où celui ou celle qui s'exprime ainsi a fait ses gammes, si tant est qu'il les a pratiquées.

Je démontre ainsi que je suis de la vieille école, mais il faut que tu réalises que lorsque je suis entrée dans le métier, le vedettariat était quasi inexistant dans le journalisme québécois. Il se ramenait à quelques chroniqueurs ou grands reporters qui étaient arrivés à se distinguer dans leur domaine – des Pierre Nadeau, des Claude Poirier. Les médias d'alors attendaient plutôt des journalistes une sobriété qui, parfois, confinait à l'obsession. À mes débuts au *Devoir*, alors que je couvrais le secteur du travail, j'avais par exemple écrit sur les *maquiladoras*, ces usines d'assemblage mexicaines, et leurs « salaires de misère ». Aux yeux du pupitreur, c'était là un qualificatif qui outrepassait l'objectivité attendue d'une journaliste. Coupée, donc, la misère ! Misère, oui...

Ce côté tatillon parfois agaçant s'inscrivait dans un contexte plus large d'effacement de l'auteur. Dans les médias écrits, par exemple, les éditorialistes avaient beau commenter l'actualité, ils étaient traités comme les reporters : les lecteurs ne voyaient que leur nom, que n'accompagnait aucune photo. Seuls les chroniqueurs étaient portraiturés.

Dans les téléjournaux, même discrétion. Je me rappelle les réticences de certains collègues quand, notamment à TVA, on s'est mis à inciter les journalistes à apparaître dans leurs reportages. Cette pratique, aujourd'hui systématique, n'était pas encore très répandue, et plusieurs la considéraient avec méfiance : ce n'était pas parce qu'ils travaillaient à la télé qu'ils tenaient, eux, à s'afficher. Pourquoi leur voix sur la nouvelle ne suffisait-elle plus ?

C'est fou, en t'écrivant cela, j'ai l'impression de remonter au Paléolithique ! Aujourd'hui, non seulement les journalistes télé sont présents dans leurs reportages, mais ils sont de plus en plus souvent invités à en causer en ondes avec l'animateur ou l'animatrice, soit à ses côtés en studio, soit en duplex, depuis les lieux mêmes d'un événement. Ils sont plus visibles que jamais.

Les journalistes de l'écrit ne sont pas en reste. Régulièrement, leur photo s'ajoute à leur signature pour des textes qui n'ont nullement la prétention d'être des chroniques. Leur activité sur les réseaux sociaux a encore accentué la présence de leur visage dans l'espace public. Tout cela est tellement imbriqué dans nos manières de faire qu'on n'y porte même plus attention.

Il s'agit néanmoins d'un élément d'un phénomène que j'évoquais plus haut et qui, lui, fait davantage parler : la présence, pour ne pas dire l'omniprésence, des chroniqueurs et des commentateurs.

Remontons le temps encore une fois. Étudiante en communication, j'avais fait à l'hiver 1985 un travail de session sur les chroniqueurs généralistes employés (et non pas invités) par les trois quotidiens de langue française de Montréal. Voici ce que ça donnait : Pierre Foglia et Lysiane Gagnon à *La Presse* ; Nathalie Petrowski au *Devoir* (qui en fait signait ses articles dans la section culturelle) ; André Rufiange au *Journal de Montréal*. Point. Tu imagines la liste, si on faisait le même exercice aujourd'hui !

N'empêche, l'engouement massif pour les chroniqueurs se préparait déjà.

Note bien que je ne prétends pas me livrer ici à une analyse exhaustive de l'évolution de la place de l'opinion dans la presse québécoise. Mon évaluation se fonde sur mes souvenirs, mon expérience de presse, et mes impressions de consommatrice de médias. Pour avoir un portrait plus complet et rigoureux, il faudrait comparer ce qui se passe au Québec avec l'ensemble des médias du monde occidental. La tendance est manifestement globale, mais la mise en valeur de l'opinion est-elle plus accentuée chez nous ? Je ne sais pas.

Mais il est clair, et cette précision m'apparaît fondamentale, que ce phénomène ne peut être détaché d'une mutation sociale profonde, observée en Occident dès la fin des années 1960, et particulièrement bien identifiée par un ouvrage marquant de 1983 : *L'ère du vide. Essais sur l'individualisme contemporain*, de Gilles Lipovetsky. Le philosophe français y fait un ensemble de constats brillants sur la postmodernité.

En gros, Lipovetsky explique que la rupture de la postmodernité est marquée par une perte de sens des institutions, ce qui laisse place à la personnalisation des rapports sociaux, à l'apothéose de la consommation, au culte de l'expression et à la mise de l'avant d'un ton qui reste toujours hors du champ de la confrontation : celui de la légèreté et de l'humour, devenus des impératifs sociaux. L'ouvrage ne condamne pas ces changements ; il les montre sous leurs différentes facettes, de la mode à la politique, en passant par la perception que les individus ont d'eux-mêmes. Lipovetsky ne décortique pas spécifiquement le monde médiatique, mais il était clair pour lui que les médias étaient à la fois les acteurs et le reflet de la transformation radicale qui était à l'œuvre à l'époque – et qui se poursuit aujourd'hui.

Ce que cette mise en perspective permet de comprendre, c'est que, trente ans avant l'ère des réseaux sociaux, la parole individuelle se libérait et s'affirmait de plus en plus, et l'espace public devait s'ajuster pour lui faire de la place, non plus seulement en marge, mais dans les lieux d'expression consacrés. Dans les médias québécois, cela s'est manifesté très concrètement dans les années 1980.

Évidemment, les publications divergentes, engagées, aux prises de position fortes sur toutes les pages, existaient déjà, et depuis longtemps. Dans la seconde moitié du XXe siècle, bien des revues ont marqué la psyché intellectuelle québécoise : *Cité libre* (1950), *Liberté* (1959) *Parti pris* (1963), *Mainmise* (1970)... Certaines avaient même une diffusion considérable ; je pense entre autres au formidable magazine *La vie en rose*, publié de 1980 à 1987, qui a donné au féminisme québécois un repère commun, au-delà des groupes militants ; pendant mes études en communication à Paris, j'avais d'ailleurs couvert les funérailles de Simone de Beauvoir pour cette publication, un fait d'armes dont je n'étais pas peu fière !

Qualité intrinsèque des textes mise à part, tout cela n'était quand même pas de l'ordre du *mainstream*. Sortir de l'objectivité attendue des journalistes, ignorer délibérément certaines balises dans la couverture d'un sujet, s'intéresser par conviction à des dossiers ou des enjeux, tout cela restait un acte *en opposition* à la presse traditionnelle.

Mais les choses bougeaient et j'en ai eu pour la première fois un aperçu à l'été 1985. Pierre Foglia était non seulement un chroniqueur reconnu mais une immense source d'inspiration pour les jeunes que nous étions, au point où, lors de l'examen d'entrée au stage de *La Presse*, les responsables avaient pris la peine de nous prévenir : il n'y avait qu'un seul Foglia, et on n'en cherchait pas d'autres. Cette mise en garde leur avait sans doute été inspirée par les textes que nous leur avions soumis dans nos dossiers de candidature !

Or cette année-là, en plus d'offrir un stage, *La Presse* s'était lancée dans un autre projet, une section hebdomadaire écrite par et pour des jeunes au tournant de la vie adulte. Le ton de ces pages était bien plus libre que celui auquel nous, stagiaires à la rédaction, devions nous astreindre. J'étais, je l'avoue, un peu envieuse. Pourquoi eux avaient-ils autant de marge de manœuvre, et pas nous ? Et à l'inverse, pourquoi est-ce que nous, et pas eux, avions la chance d'apprendre la distanciation journalistique, exercice indispensable dans ce métier ?

Parmi les collaborateurs de ce supplément, on trouvait notamment Jean Barbe qui, un an plus tard, s'associerait à une toute nouvelle publication dont il deviendrait rapidement le rédacteur en chef et qui devait marquer ma génération : le *Voir*. Le journal existe toujours, mais il n'a plus la charge mythique de ses dix premières années. *Voir*, c'était tellement spécial. Un regard jeune et assumé comme tel dans ses préoccupations, ses goûts, et surtout, sa manière de dire les choses. Chaque semaine, on s'empressait de mettre la main sur ce gratuit (ce qui était alors une nouveauté) dès sa sortie, pour lire Barbe, bien sûr, mais aussi Richard Martineau, Pascale Navarro, Nathalie Collard, Laurent Saulnier, Jean-Hughes Roy... Ces jeunes contributeurs d'alors, dont les noms te sont sans doute familiers, ne faisaient pas que rapporter ce qu'ils couvraient, ils exprimaient un point de vue. À la rigueur factuelle des textes et des reportages s'ajoutait un pied de nez fait aux médias traditionnels pour tout ce qu'ils ne couvraient pas, soit de grands pans du monde culturel – spécialité de la maison – mais aussi du monde social et même politique, avec des entrevues en profondeur où les questions posées dépassaient la joute politicienne pour toucher aux valeurs. C'était hors du champ de la neutralité, et les lecteurs s'en réjouissaient. Et visiblement, ça marchait fort : la pub s'étalait en abondance dans les pages du journal. En sortant des revues de combat toutes plus ou moins pointues, l'opinion s'était extirpée de la marginalité. Le *Voir* l'illustrait avec éloquence.

Pour te dire encore l'impact de cette publication, je te ramènerai en novembre 1989. J'arrivais alors au *Devoir*, en même temps que se tenait le congrès annuel de la FPJQ au Chanteclerc, dans les Laurentides. Il y avait alors bien moins d'ateliers que dans les congrès d'aujourd'hui, mais je crois que, même en concurrence avec dix autres panels à l'affiche durant le week-end, celui dont je vais te parler aurait été très couru. En tout cas, la salle était bondée.

Le titre de l'atelier était « Du *Devoir* à *Voir*, la presse indépendante a-t-elle un avenir ? » Ne te laisse pas distraire par cette question à la formulation convenue : elle soulevait un véritable enjeu. *Voir* avait trois ans et le vent dans les voiles ; *Le Devoir*, lui, traversait sous la direction de Benoît Lauzière une crise dont l'effet allait croissant. Chaque mois, littéralement, un journaliste quittait la rédaction. C'est assez spécial à vivre, quand on vient soi-même d'être embauchée. Un de mes nouveaux collègues disait en boutade : « Que le dernier qui part ferme la lumière ! » Lui-même excédé de la perte de vitalité du *Devoir*, il claqua la porte au printemps suivant, la veille de l'annonce inattendue, mais devenue inévitable, de la démission du directeur et de son remplacement par Lise Bissonnette, qui revenait au bercail (pour la petite histoire, elle avait quitté le journal à cause de désaccords profonds avec celui qu'elle remplaçait).

Au nombre des facteurs menaçant *Le Devoir*, parmi lesquels sa fragilité atavique et le manque de leadership journalistique et intellectuel du directeur de l'époque, s'ajoutait l'existence même de *Voir*, qui avait été chercher un public jeune et passionné de culture, secteur que *Le Devoir* affichait comme l'une de ses forces. L'atelier avait beau porter sur « la presse indépendante » et compter cinq invités, c'est beaucoup le procès du *Devoir* qui s'y est fait, et les passes d'armes ont été vives entre Richard Martineau, qui représentait *Voir*, et Nathalie Petrowski, qui était alors au *Devoir*. Au final, le verdict était clair : le journal fondé par Henri Bourrassa était une espèce en voie de disparition alors que le *Voir* était l'image même du renouveau de l'information.

Ce renouveau se manifestait d'ailleurs de toutes sortes de manières. Par exemple, quand Jean V. Dufresne, vénérable reporter qui avait travaillé partout, a décidé de quitter *Le Devoir*, c'était pour aller commenter l'actualité au *Journal de Montréal* en tant que chroniqueur salarié – une innovation pour ce quotidien. À *La Presse*, l'habitude déjà prise d'attirer l'attention sur les journalistes est allée s'accentuant : les chroniques, peu à peu, sont sorties des pages de sport (d'où venait Pierre Foglia) ou culturelles pour occuper de plus en plus de place dans les pages d'actualité. Je me souviens que dans ces années-là, Réjean Tremblay, alors tête d'affiche de *La Presse*, avait écrit que s'il devait devenir chroniqueur politique, il adopterait la même approche que celle qu'il avait pour le sport : s'intéresser aux gens derrière les tactiques et les décisions. En fait, il annonçait l'avenir.

Le Devoir s'est ajusté à sa manière. Sous l'impulsion de la nouvelle directrice, la maquette du quotidien a été entièrement refaite, et lancée au tout début de 1993. À la une, chaque jour, une colonne était dorénavant réservée à une rubrique appelée « Perspectives ». Elle permettait aux journalistes maison, à tour de rôle, d'expliquer ou d'interpréter un événement de l'actualité.

En fait, l'écrit se mettait dans le sillage de ce qui se faisait déjà dans les radios privées qui, peu à peu, au détriment de leurs salles de nouvelles, glissaient vers une information commentée... de plus en plus vigoureusement.

À Québec, André Arthur, qui avait fait ses premières armes dès le début des années 1970 en s'affichant déjà fougueux, était devenu dix ans plus tard le roi de la radio parlée. Au même moment, à Montréal, c'était le règne de Pierre Pascau à CKAC, de

Gilles Proulx à CJMS et du tandem Jean Cournoyer-Matthias Rioux à CKVL. Les auditeurs avaient droit à leurs opinions énergiques sur les nouvelles du jour, et le contraste, voire l'antagonisme, entre les animateurs, ou entre l'interviewé et l'intervieweur, était mis de l'avant. C'était un phénomène fort contesté dans les facultés de communication, où l'on y voyait une mise en scène déplacée de l'information. Mais auprès du public, ça marchait terriblement bien.

Dès 1979, Cournoyer et Rioux se retrouvèrent au petit écran, dans une émission axée spécifiquement sur le pour ou contre, le noir et blanc, le oui ou non, et qui s'appelait *Droit de parole*. Ils en furent les premiers animateurs avant que d'autres prennent la relève (dont Claire Lamarche, que la formule rendra célèbre). On n'expliquait plus, on prenait carrément position. C'était complètement inusité à la télévision – publique, qui plus est, puisque l'émission était diffusée à l'antenne de Radio-Québec.

Le paysage télévisuel était de toute manière appelé à se transformer au Québec, notamment avec l'entrée en ondes d'une nouvelle station privée francophone : Télévision Quatre-Saisons (TQS). En 1986, le « mouton noir de la télé », comme disait l'un de ses slogans, était lancé avec l'intention explicite de brasser la cage.

En matière d'information, cette volonté s'est d'abord manifestée par la technique. Pourquoi s'embêter avec des caméramans ? Dans les premiers temps de la nouvelle station, ses (tout jeunes) journalistes se promenaient caméra à l'épaule, tenus de voir à la fois au fond et à la forme de leurs reportages. Tu trouveras sans doute que c'était tout simplement annonciateur des changements à venir dans l'industrie, toi qui es formée pour ce genre de polyvalence, et je ne sais plus trop ce qu'en pensaient les principaux intéressés, mais sur le coup, leurs collègues des autres médias prenaient en pitié ces pauvres bibittes qui tentaient de tout maîtriser en même temps. Le fait est que l'expérience n'a pas duré.

C'est tout autrement que TQS devait finalement se démarquer en information, en arrimant celle-ci au « style qui a fait son succès : une télé d'émotions à fleur de peau et d'opinions instantanées », pour citer un article de Sylvain Larocque, paru en 2001 dans *Le 30* (le titre du magazine de la FPJQ s'écrivait en chiffres à l'époque). L'opinion se glisse alors un peu partout sur la chaîne, au point que l'immuable format des téléjournaux finit par être touché à son tour. TQS décide en effet de transformer le lecteur de nouvelles en un *entertainer* de l'information qui, comme dans les émissions d'affaires publiques à la radio privée, serait appelé à se mouiller, et à inciter ses collaborateurs et invités à faire de même. En 1999 la chaîne embauche donc Jean-Luc Mongrain, vedette de TVA au style inimitable (donc très imité!), pour animer son *Grand Journal* du début de soirée. Gilles Proulx se voit confier l'édition de midi l'année suivante, et en 2001, Jean Lapierre complète le trio au *Grand Journal* de 22 heures.

Tout cela est concomitant à l'arrivée des chaînes d'information continue, un autre de ces bouleversements journalistiques dont je te disais qu'ils sont plus fréquents qu'on ne le croit. CNN est la grande pionnière, le magnat des médias Ted Turner ayant commencé ses activités dès 1980. Il faudra attendre neuf ans pour qu'elle soit imitée, les deux chaînes suivantes à se lancer étant Sky News en Grande-Bretagne et la CBC au Canada. Mais dans les années 1990, c'est l'explosion et tout le monde s'y met: la BBC, la RAI, des chaînes française, espagnole, brésilienne ou allemande, l'européenne Euronews... Fox News et Al Jazeera ouvrent leurs portes en 1996. Le Québec, lui, voit apparaître RDI en 1995 et LCN en 1997.

Dès lors, partout, partout, il faut nourrir la bête 24 heures sur 24. Les faits bruts ne suffisent pas à remplir les ondes, il faut y mettre de la «valeur ajoutée», donc du commentaire. De la libre parole revendiquée dans les années 1960 comme contestation du système, on passe à une opinion démultipliée *dans* le système, qui en a désormais besoin pour survivre.

La diversité des commentateurs, qui ne se limitent plus aux journalistes mais se recrutent aussi parmi les acteurs de l'actualité, plaît à l'auditoire. L'immense succès de Jean Lapierre dès son arrivée à la radio dans les années 1990 ou la référence qu'est devenu le *Club des Ex* à RDI l'illustrent parfaitement. Laisser la place aux chroniqueurs maison et aux commentateurs invités est un choix qui s'impose pour les médias : c'est apprécié des auditeurs et des téléspectateurs, donc rentable.

C'est en suivant la même logique que tous les quotidiens du Québec vont peu à peu se doter de chroniques d'actualité pour tous les jours de la semaine. La nouvelle mouture de l'après lock-out du *Journal de Montréal* et du *Journal de Québec* en a même fait sa marque de commerce, affichant quotidiennement les contributions de dizaines de chroniqueurs et blogueurs, journalistes ou pas.

Frôle-t-on l'overdose ? La grogne contre le phénomène est forte, notamment parmi les reporters qui ont l'impression que le patient travail de récolte et surtout de vérification des faits passe au second plan. Je ne leur donnerai certainement pas tort, mais je vois aussi dans la prééminence actuelle du commentaire une espèce de boucle dans l'histoire de notre profession.

Lors de la mise en place de la presse dite moderne, au XIXe siècle et jusqu'au début du XXe, la lenteur de transmission de l'information faisait en sorte que le commentaire tenait le haut du pavé, remplissant le vaste espace que le flot pas du tout continu de nouvelles laissait libre. Aujourd'hui, la vitesse à laquelle nous parvient l'info, de la plus importante à la plus insignifiante, ne nous laisse aucun répit, et la multiplicité des plates-formes qui la diffusent – du téléphone dans notre poche aux écrans sur les quais du métro – bouleverse l'idée même de trier ce qui vaut la peine d'être publié ou pas. Le « factuel » est en fait si répandu et immédiat que le reprendre dans les médias dits traditionnels semble un exercice de stricte répétition qui n'intéresse plus le public. Il y a donc de l'espace à remplir et, comme autrefois, le commentaire arrive à la rescousse.

Cela crée toutefois un double problème. D'abord, vu la rapidité de leur transmission et leur abondance, les faits rapportés se réduisent désormais trop souvent à un bref descriptif qui défile en bas d'un écran. Et si un événement est d'une ampleur évidente, il faut le commenter *au moment exact* où il se produit, car il sera vite chassé par la prochaine nouvelle. Toute la complexité du monde se trouve pour ainsi dire ramenée à quatre ou cinq mots, à une émotion.

Ce mouvement vers la simplification survient alors même que l'éclatement des repères traditionnels, la disparition des frontières économiques et même géographiques dans le monde virtuel, tout comme la multiplication de problèmes politiques, environnementaux et démographiques colossaux témoignent d'une réalité en mouvance constante. Lire le monde est un laborieux déchiffrage, et nous voilà à sauter allègrement des pages!

Il te faudra être d'autant plus vigilante comme journaliste que les acteurs de l'actualité instrumentalisent avec virtuosité le déboulé des événements. Je t'en donne un exemple, minuscule mais à mon avis révélateur.

En tant que rédactrice en chef au *Devoir*, j'avais de grosses responsabilités de gestion et d'administration. Mes journées consistaient à passer d'une réunion à l'autre, en me réservant tout juste le temps de préparer un éditorial ou une intervention publique. Je n'allais pratiquement plus sur le terrain. Mais un jour, miracle! j'ai eu un petit trou dans mon horaire alors qu'une importante conférence de presse politique avait lieu juste à côté de nos locaux. Je m'y suis pointée avec empressement: ça faisait si longtemps que je n'avais pas mis le nez dehors!

Le sujet du jour était un rapport qui, alors même que la conférence de presse commençait, n'avait pas encore été distribué aux journalistes. Ceux-ci devraient se contenter d'un communiqué de presse du cabinet ministériel : la remise du document, nous expliqua-t-on, aurait lieu ultérieurement. Mais comment poser les bonnes questions au ministre qui nous ferait face en s'appuyant uniquement sur l'interprétation gouvernementale de ce rapport indépendant ? Je m'attendais à une protestation collective de mes collègues, mais rien ne se passait. En regardant autour de moi, j'ai vite constaté qu'en fait, bien des journalistes n'écoutaient qu'à moitié, et encore. Ils annotaient le communiqué officiel pour préparer leurs interventions, qui devaient avoir lieu dans deux ou trois minutes, top chrono. La bête – lire la télé, et aujourd'hui, les réseaux sociaux – exigeait qu'on lui donne sans plus attendre sa pitance. Heureusement, nous avons quand même été quelques-uns (...ouais, des « vieux ») à tempêter pour obtenir sur-le-champ le fameux rapport. Mais je me disais qu'en cette nouvelle ère où le résumé – voire l'« analyse » – était attendu avant même qu'un événement ne commence, on faisait décidément la part belle à ceux qui avaient un message à contrôler.

Un équilibre peut être atteint. Il exigerait de se ménager un espace où prendre du recul, hors de l'inévitable et indispensable excitation quotidienne (car après tout, c'est quand le camion de pompiers passe qu'il faut le suivre, pas des heures plus tard !). Cela implique de donner aux journalistes le temps d'aller plus loin que les apparences auxquelles les acteurs, l'économie et la technologie entendent les limiter. Il ne s'agit pas de se lancer à chaque fois dans de grandes enquêtes, seulement d'assurer la solidité de la couverture routinière de l'actualité. Ce temps qui manque, on peut le trouver en faisant des choix... ou en embauchant. Trop de dirigeants l'oublient : les journalistes ne sont pas qu'une dépense pour un média, ils sont un investissement – bien plus important à mon sens que toute la quincaillerie technique qui séduit tant les patrons de presse aujourd'hui.

Il faudrait aussi laisser plus de temps d'antenne aux commentateurs, analystes et critiques afin qu'ils puissent dépasser les impressions générales et faire valoir leurs connaissances. Ce qui implique évidemment que la connaissance soit au rendez-vous ! Au royaume des généralités, les véritables spécialistes écopent. L'observation est particulièrement juste pour le secteur culturel, devenu l'univers par excellence du j'aime ou j'aime pas, de l'opinion subjective exprimée en quelques secondes, en oubliant de décortiquer l'œuvre et son contexte.

Note que cette simplification de l'analyse ne vaut pas pour tous les domaines. On n'imagine pas, par exemple, des néophytes commenter la scène sportive. Le journalisme sportif (qui ne manque par ailleurs ni de minutes à la radio et à la télé, ni de pages où se déployer!) est le fait de passionnés qui connaissent leur affaire et sont en mesure de multiplier les références historiques et les comparaisons contemporaines. C'est en soi révélateur des priorités de notre société, mais c'est aussi la preuve qu'il est possible de faire autrement.

Mon souci d'avoir une mise en perspective indépendante et bien documentée est partagé par bien des gens du milieu. Il est hélas en porte-à-faux avec la dernière bébelle publicitaire à la mode: le «marketing de contenu». En gros, les entreprises ne veulent plus payer pour la seule présence de leurs produits dans les vitrines d'un média donné. Le public trouvant toutes les astuces pour contourner la pub, elles demandent maintenant un autre type d'insertion dans des articles de forme journalistique. Dans un dossier percutant du *Trente* paru à l'été 2015, la journaliste Suzanne Dansereau avait dénoncé sur la place publique ces nouvelles pratiques auxquelles elle avait elle-même été confrontée lorsqu'elle travaillait au journal *Les Affaires*. «L'an dernier, racontait-elle, un reportage sur la Côte-Nord que j'avais minutieusement organisé pour avril a été reporté à la dernière minute, faute d'annonceur, et j'ai dû le reformuler pour le rendre plus attrayant pour la pub. » Comme il lui arrivait de plus en plus fréquemment de voir son travail ainsi « mis sur la glace » dans l'attente d'une commandite, ou de devoir céder la place aux reportages de collègues qui, eux, avaient un commanditaire, elle avait fini par remettre sa démission.

Elle donnait d'autres exemples : un article portant sur les médicaments périmés payés par un détaillant en pharmacie du côté de *La Presse* ; un reportage sur l'énergie solaire commandité par la pétrolière Shell dans la presse américaine. Comprends bien que ces textes ne sont pas identifiés comme de l'info-pub, ni placés dans une section spéciale, mais mêlés à la production régulière des troupes de l'information, et idéalement – c'est du moins ce que demandent les annonceurs – produits par elles. Tous les médias font présentement face à ce type de demandes, et ils sont de plus en plus nombreux à conclure des ententes et à en parler ouvertement : *La Presse*, *L'actualité*, *Voir*, *Les Affaires*, le *Globe and Mail*, et même une publication aussi bien établie que *The Economist*. À l'inverse, on commence à voir des médias préciser qu'aucun de leurs reportages n'est commandité, ce qui témoigne toutefois de l'importance du phénomène.

En dépit des balises dont les responsables des rédactions l'entourent, l'impulsion première de ce type de reportage pas plus que sa finalité ne sont journalistiques, ce qui est en soi préoccupant. On consent un peu partout à cette nouvelle donne parce qu'elle est très payante, ce qui n'est pas à négliger – sauf qu'on avance dans des zones de plus en plus troubles car les tenants de ces pratiques publicitaires cherchent constamment à en repousser les limites, ce dont les journalistes et le grand public n'ont pas vraiment conscience.

Chaque génération de journalistes a son monstre à combattre, voilà le tien. Et je le trouve bien plus pernicieux que l'omniprésence du commentaire.

Cinquième lettre

LA RÉDAC

La salle de rédaction est pour moi le grand symbole de ma vie de journaliste. Dans une industrie en pleine mutation, je marche sur des œufs en t'en parlant, puisque le concept même d'une rédaction se transforme. Si tu es pigiste, tu dois déjà sourire : une salle ? Toi, tu planches sur ton ordi, à la maison, et tu t'en accommodes fort bien. Cette manière de fonctionner a d'ailleurs fait des petits dans bien des médias, nouveaux comme anciens. Ainsi, les journalistes permanents de certains médias de Québecor, comme *Le Journal de Montréal* et le gratuit *24H,* n'ont plus de bureaux attitrés, et on ne s'attend même pas à ce qu'ils viennent écrire à la rédaction.

J'avoue que, vu mon expérience conjuguée de journaliste et de patronne de presse, je me dédouble devant ce changement. La patronne en moi a constaté qu'il vient combler à la fois un besoin et une demande. Le besoin, c'est encore et toujours l'argent : l'espace coûte cher. Plusieurs médias ont réduit le nombre de leurs employés, ce qui leur permet d'occuper des lieux moins spacieux ; mais si on peut trouver une manière de diminuer les coûts en logeant ailleurs ceux qui restent, c'est encore mieux. Ne te fais pas d'illusions : ce n'est pas l'efficacité journalistique qui guide les choix ici, c'est strictement le budget.

Parallèlement, certains journalistes permanents souhaitent, réclament, exigent de pouvoir travailler de chez eux, puisque les nouvelles technologies leur permettent de le faire exactement comme dans une salle. Travailleurs ultra-branchés que nous sommes tous devenus, on ne peut même pas échapper chez soi aux interactions avec les autres grâce à la panoplie des réseaux sociaux, courriels, textos et téléphones.

Au *Devoir*, sous ma gouverne, nous avons dû faire face à cette nouvelle donne. La question ne faisait pas l'unanimité. Après consultation des cadres de la rédaction, qui avaient à superviser le travail au quotidien, il a été convenu de maintenir l'exigence d'une présence physique des journalistes dans la salle, à moins d'arrangement préalable. Dans le fonctionnement d'alors, c'est ce qui nous semblait préférable, et la décision a été plutôt bien accueillie. Je n'en tirais pas pour autant une conclusion définitive : les temps changent, les façons de travailler aussi, et les solutions qui apparaissent valables aujourd'hui seront peut-être désuètes demain. Que recouvrira le concept de rédaction dans dix ans ? Nul ne le sait.

Mais la journaliste en moi – qui n'a à penser ni aux résultats financiers de l'entreprise ni à ce que veut le collègue d'à côté – est persuadée d'une chose : une salle de rédaction, c'est formidable ! Le bruit, l'émulation, les blagues, les ronchonnements, les discussions, les soupirs, les commentaires... Dans un quotidien, tout se passe dans un espace ouvert, et il se crée là une réserve d'énergie dans laquelle puiser quand l'actualité s'emballe et qu'il faut tous mettre la main à la pâte.

Bon, on n'est pas non plus au cinéma. Un média, c'est aussi une entreprise comme les autres, avec des employés qui ont une hypothèque à payer, un petit qui n'a pas dormi de la nuit, les pneus d'hiver à faire poser. On n'y cause pas, ou si peu, des grandeurs et des misères de l'information, ni très souvent de la liste des enquêtes à mener dans l'année. Au jour le jour, ce qui nous indigne, c'est le métro encore en panne, ce qui nous enthousiasme, c'est le prochain demi-marathon pour lequel on s'entraîne, ce qui nous émerveille, ce sont les prouesses du petit dernier, ce à quoi on rêve, c'est aux vacances qui arrivent. Il ne faut rien idéaliser ! Comme dans tous les bureaux, on développe des amitiés profondes et des agacements, parfois même des inimitiés. Et comme partout, il y a des zélés, des tire-au-flanc, des bougonneux, des p'tits comiques, des lunatiques.

Mais on travaille ensemble, et c'est dans ce coude-à-coude qu'on s'améliore dans ce métier. Entendre comment le collègue mène une entrevue téléphonique (le téléphone est le prolongement du journaliste) avec une attachée de presse qui esquive ses questions, ça donne des trucs. Et si on s'interroge à voix haute pour trouver un chiffre, un numéro de téléphone personnel, le nom d'un spécialiste, la réponse ne tardera pas. On peut être deux, trois, quatre à se pencher sur le choix d'une photo, à évaluer un titre. Pas certaine de la prochaine étape à suivre pour démêler une histoire ? En parler à ton voisin de bureau est souvent salutaire. Et le premier plaisir d'avoir un scoop, c'est de s'en réjouir avec son entourage ! Même les plus blasés sont toujours avides d'une bonne histoire et, bien sûr, de la commenter avec toute l'ironie méchante, mordante, joyeuse, qui caractérise la profession. Une vraie, belle, grosse exclusivité, un potin juteux, et c'est l'attroupement. Oubliés les pneus d'hiver !

Les développements technologiques des dernières années m'ont permis maintes fois de piloter du travail d'équipe de chez moi, tard le soir ou au petit matin – lors de descentes de police aux aurores, par exemple, ou quand une grande personnalité décédait en fin de soirée. Techniquement, cela se passait comme un charme. Mais j'avais toujours hâte d'arriver dans la salle de rédaction pour être avec la gang.

Et la gang, ce n'est pas que des reporters. Quand je pense à une rédaction – une salle dans un quotidien, une succession de bureaux dans un hebdomadaire ou un magazine, des îlots de travail et des studios en radio et en télé – je ne vois pas nécessairement une foule. Les locaux exigus d'un hebdo abritent une équipe tout aussi fonctionnelle que l'immense rédaction de *La Presse* +. Ce qu'on y retrouve toujours, c'est toute une gamme de journalistes de l'ombre, aussi méconnus qu'ils sont indispensables.

J'ai eu la chance d'avoir une carrière très diversifiée qui m'a fait occuper plusieurs de ces fonctions injustement obscures : crois-moi, après les avoir découvertes, on prend conscience de leur importance. Le grand public ne voit que les reporters, les chroniqueurs, les photographes, mais il y a toute une machine derrière ! Une machine dont toi-même tu connais sans doute peu de chose, alors que tes études en journalisme sont tout à fait susceptibles de te mener à des postes comme ceux de chef de pupitre, de recherchiste photo, de webmestre ou de réalisatrice.

Il y a là un monde de possibilités que tu ne soupçonnes pas : je ne compte plus les fois où j'ai dit que la seule personne irremplaçable dans un journal, c'est le pupitreur ! Un journaliste subitement malade, désolée pour l'ego, mais on peut s'en passer : si on n'arrive pas à trouver quelqu'un pour rentrer bosser immédiatement, on peut toujours en demander plus de son voisin, prendre des textes de La Presse Canadienne ou de *Libé*, ou grossir les photos. Mais pas de pupitreur, pas de journal. C'est vrai pour le papier autant que pour la mise en ligne ou la « mise en tablette ». Un pupitreur malade, c'est une catastrophe à gérer de toute urgence ; un pupitreur qui annonce ses vacances ou doit prendre un congé, c'est un casse-tête à résoudre sans tarder : pas moyen de temporiser, il *doit* être remplacé. Le hic, c'est que les aspirants à la fonction ne courent pas les rues. C'est dire si la jeune journaliste qui aura acquis des compétences en la matière apparaîtra comme un cadeau des dieux, la sauveuse de patrons en détresse ! Je connais des jeunes qui ont été les premiers surpris de la satisfaction qu'ils retiraient de ce travail : après tout, le pupitre est le lieu du contrôle ultime de l'information qui sera publiée !

Les « emplois secrets » des salles de presse forment toute une nébuleuse : je pourrais te parler des affectateurs, des secrétaires de rédaction, des documentalistes, des correctrices, des graphistes... J'ai été, je te l'ai déjà dit, traductrice à La Presse Canadienne – assise avec mes collègues autour d'un chef de pupitre qui nous distribuait les textes à traduire comme un prof des examens : qu'est-ce qu'on rigolait ! J'ai été rédactrice de brèves (non signées) pour un magazine, et réviseure de copies aussi.

Ce sont tous ces gens que j'ai en tête quand je te dis combien, comme journaliste, je tiens aux salles de rédaction. J'aime aller parler directement au pupitreur qui doit mettre en valeur les articles, j'aime voir ce qu'il en fait. J'aime discuter avec les correctrices du sens ambigu d'un mot, ou les laisser me guider dans ma bataille contre les fichus anglicismes. J'aime que les pupitreurs voient les efforts que les journalistes mettent pour livrer leur texte à temps ; j'aime que les reporters constatent que les contraintes de longueur que leur imposent les pupitreurs ne sont pas des caprices mais une affaire d'équilibre entre les articles d'une page. J'aime que chacun réalise ainsi concrètement qu'il doit faire corps avec une foule de gens pour qu'émerge un produit final qui s'appelle un journal.

La salle n'est pas un système clos, bien sûr : ses ramifications s'étendent jusqu'aux correspondants parlementaires ou à l'étranger. Elle a aussi des collaborateurs réguliers. Si la plupart travaillent de chez eux, au *Devoir*, plusieurs venaient régulièrement à la rédaction, ne serait-ce que pour y faire un tour, ce qui les incluait dans le grand tout. L'intérêt de ce lieu, c'est qu'il rassemble le plus grand nombre et attire les autres, crée une cohérence, un esprit de groupe, et fait en sorte que la somme du travail accompli dépasse largement l'addition du rendement de chacun. Dans un orchestre, chacun a sa partition à interpréter, mais personne ne reste seul dans son coin : on joue en présence les uns des autres, et le chef s'arrange pour que du chaos, on passe à l'harmonie. Pour moi, un journal, c'est pareil.

Je veux te dire un mot d'un autre univers de presse qui m'a marquée : la télévision. J'ai toujours eu le sentiment que chaque émission, en radio comme en télé, bâtit son clan, petite équipe soudée qui favorise l'investissement de chacun dans le travail et la qualité finale du produit. Le succès d'une émission dépend beaucoup de ce qu'on ne voit pas : une équipe où le réalisateur, l'animateur, les adjoints à la réalisation, les recherchistes, les caméramans, etc., sont sur la même longueur d'onde, et où la confiance règne. C'est un équilibre qu'il n'est pas toujours facile d'atteindre. Mais quand on l'a trouvé, on forme presque une famille, et le public perçoit cette chimie. Tu as remarqué que certains animateurs n'hésitent pas, en ondes, à faire référence à l'équipe qui, derrière la vitre de la console ou les caméras, les soutient? C'est plus qu'un petit geste sympathique; c'est reconnaître que l'information est un travail de collaboration – lequel est encore plus important dans les médias électroniques qu'à l'écrit.

J'ai été recherchiste, poste fort discret dont on ne parle jamais mais qui assure pourtant de l'emploi à un nombre important de journalistes. À ce titre, j'ai travaillé à la télévision pour différentes émissions d'affaires publiques. En bonne généraliste, je touchais à tous les dossiers; c'était en soi extrêmement stimulant, et ça l'était encore plus quand je vivais la combinaison gagnante d'une émission quotidienne *et* en direct.

Ah, le direct! C'est le nirvana pour quiconque carbure à l'adrénaline. Si un journaliste à l'écrit flanche et ne livre pas à temps le texte attendu, il y a toujours moyen de s'arranger, comme je t'ai dit plus haut. À la télévision ou à la radio, on ne peut rien grossir: il faut meubler le vide, remplir le silence. L'équipe d'une émission en direct est donc constamment sur le qui-vive, et en cas de pépin, son sort repose entre les mains des recherchistes.

En tant que recherchiste, puis comme chef d'une équipe qui en comptait une dizaine répartis à travers le Québec pour l'émission *Québec plein écran*, animée par Anne-Marie Dussault dans les années 1990 à l'antenne de Télé-Québec, je ne compte plus les palpitations que nous avons vécues : l'invité malade (de l'extinction de voix au décollement de la rétine !) à une heure de l'entrée en ondes, ou celui qui tout à coup change d'idée et ne veut plus se présenter. Tu imagines le carnet d'adresses et les réflexes pour trouver sur-le-champ – pas le choix – un remplaçant ? Miam, la belle panique ! Le summum de ce plaisir un peu tordu en est la version collective : tout le monde au téléphone pour trouver l'invité qui dépanne et triompher, une fois de plus, de l'adversité ! Le travail en commun prend alors tout son sens.

Au nombre de mes souvenirs, il y a encore l'invité qui tarde, et que tu finis par joindre, au comble de l'exaspération, et qui te jure qu'il s'en vient, et qui franchit la porte de l'édifice alors même que le générique d'ouverture de l'émission défile et qu'il y a une chaise vide à côté de l'animatrice... Et hop, au galop dans les couloirs labyrinthiques de Télé-Québec ! On l'assoit au plus vite à la dernière seconde, et un technicien se glisse à quatre pattes derrière lui, pour que la caméra ne le voit pas accrocher le micro à son veston. Tu imagines la tension en studio ? De quoi virer folle ! C'était follement excitant.

Aujourd'hui, quand un recherchiste m'invite à son émission du lendemain, je sens l'angoisse dans sa voix lorsqu'à mon « Je vais y penser », il répond : « Et... vous me revenez dans combien de temps ? » Je revis un instant toute la pression qui donne du piquant à ce travail. Combien de plans B, C, D ai-je dressés en attendant que le plan A, rappelé à répétition, donne sa réponse ? Le relâchement n'est jamais possible : il *faut* qu'il y ait quelque chose en ondes, et en plus, que ce soit pertinent et à la satisfaction de l'animateur ou de l'animatrice. Car tous ne sont pas aussi généreux de leurs propositions d'angles ou d'invités qu'une Anne-Marie Dussault, ni aussi reconnaissants envers le travail accompli. Si tu t'y consacres à un moment de ta carrière, tu verras que le travail de recherche peut s'accompagner de frustrations ; mais avec l'expérience, on apprend à se détacher de ce qui est livré au public par quelqu'un d'autre que soi. Oui, il y en a qui ont le don de bâcler en ondes les dossiers les mieux préparés par leur équipe : autant alors se raccrocher au plaisir qu'on a à faire sa part de travail. En revanche, quand ça clique entre un recherchiste et son animateur, ça donne de formidables tandems.

Tu l'auras compris, les recherchistes sont le tré-sor secret de l'univers médiatique : sans elles, oublie tout ce que tu vois à la télé, tout ce que tu entends à la radio. Je ne féminise pas par coquetterie : ce tra-vail de fond, largement occulté, est le plus souvent occupé par des femmes. Vois à quelle hauteur je leur lève mon chapeau.

Sixième lettre

LA MOROSITÉ

J'ai une confession à te faire. J'avance dans cette correspondance en vivant un dilemme : des mots s'affichent à l'écran mais d'autres me trottent dans la tête. Le journalisme est un métier extraordinaire, porté au jour le jour par des gens qui, pour la plupart, sont ravis de le pratiquer. Mais collectivement, les troupes broient du noir, elles se préoccupent de ce qui attend la profession, inquiètes de la dégradation de l'information. J'ai beau avoir un tempérament qui me porte naturellement à l'enthousiasme, je ne peux pas faire abstraction de ce marasme.

Je te l'ai dit, je ne veux pas te parler longuement de modèles d'affaires, car le contenu y compte pour trop peu : tu l'as compris, comme la chute des revenus publicitaires est la principale cause des problèmes des médias, bien des dirigeants d'entreprises de presse sont plus préoccupés de plaire aux annonceurs que de répondre aux besoins du public. Il reste que les affaires ont un impact sur les manières de travailler ; les journalistes ont raison de s'en soucier.

Partout dans le milieu, tu entendras donc dire qu'il faut fournir toujours plus de contenus, et toujours plus vite ; que c'est le règne du clip, des capsules, de l'information-spectacle, du superficiel ; que le public ne fait plus que glisser d'un écran à l'autre, ne fixant son attention sur rien, semblant se contenter du rôle de consommateur qu'on lui assigne désormais. Et que tout cela est désolant pour le métier, la démocratie, la société.

Moi aussi, comme tant d'autres, je râle, et comme je suis accro à l'information, je râle beaucoup – tous les jours, ma foi ! Pourquoi tel sujet intéressant, entrevu dans un communiqué ou sur les réseaux sociaux, n'a-t-il été traité par aucun média traditionnel ? Pourquoi cette experte, qui connaît à fond un dossier, n'a-t-elle pas été invitée à en discuter ? Pourquoi cet événement significatif a-t-il été ramené à une brève ? Pourquoi ce débat entre élus nous est-il raconté comme un match de boxe, sans souci des enjeux politiques ? Pourquoi ne garde-t-on des commissions parlementaires que les échanges les plus vifs, en négligeant le fond et le détail des projets de loi qui y sont étudiés ? Pourquoi relayer presque mot à mot un communiqué de presse sans aller au-delà de l'annonce ? Pourquoi mener des panels dits de fond à la radio ou à la télé sur trois sujets, avec trois invités, en neuf-minutes-pas-plus ? Pourquoi ne pas avoir fait le minimum de recherche qui offrirait une mise en contexte ? Pourquoi tel titre maladroit, telle photo racoleuse, tel extrait mal coupé, tel agencement de nouvelles ?

La conclusion semble s'imposer : la presse va mal. Mais est-ce « pire qu'avant » ? Je n'en suis pas certaine. Vraiment pas.

Je te le dis en ayant l'impression de risquer l'anathème. Quoi ? Mais il n'y a qu'à voir les chiffres ! Fermetures de médias, coupes dans les salles de presse, baisse globale du nombre de journalistes... Et tous ces professionnels respectés qui quittent le métier par ras-le-bol, admis ou camouflé, de la pression et de la superficialité. Et tous ceux qui, désespérant de trouver un poste ou de gagner leur vie décemment, finissent par se tourner vers les relations publiques. Ceux qui restent sont débordés, ne creusent plus, et l'information ne sort plus guère des sentiers battus. Et toute cette quincaillerie visuelle qu'on nous fourgue, au détriment du contenu !

Tout cela, je l'entends bien, je le vois bien, et je m'en scandalise, et je m'en désole.

Néanmoins, si je tourne la tête vers les rayons de ma bibliothèque, garnie de décennies d'ouvrages consacrés au journalisme, qu'y vois-je? Des titres qui annoncent des réquisitoires tout aussi cinglants, sinon plus, que les regards durs que l'on porte aujourd'hui sur les médias. Tu veux des exemples?

– *L'information-opium. Une histoire politique de* La Presse (éd. Parti pris, 1973). Le grand quotidien montréalais passe sous la plume assassine de Pierre Godin, qui était journaliste avant de devenir historien de la Révolution tranquille et brillant biographe de René Lévesque ;

– *Y a-t-il ici quelqu'un qui a été violé et qui parle anglais?* (Le Livre de poche, 1978). Les mémoires du grand reporter international Edward Behr décapent sans état d'âme les pratiques journalistiques ;

– *Le silence des médias* (Éd. du Remue-ménage, 1987). Le livre de la journaliste Colette Beauchamp attira son lot de critiques à sa sortie, la profession n'appréciant guère d'être disséquée au scalpel par quelqu'un qui comptait pourtant 25 ans de métier ;

– *Propagande, médias et démocratie* (Écosociété, 2000). Le virulent pamphlet de Noam Chomsky et Robert W. McChesney, paru dans sa version originale dans les années 1990, associe les médias à une imposture démocratique en raison particulièrement de l'omniprésence de la concentration de la presse. (Tiens! La préface est de Colette Beauchamp...)

Et je pourrais te citer des pages entières d'un ouvrage fortement salué lors de sa parution en 1980 : *Les journalistes* (Québec-Amérique). Quatorze grands noms de la profession y abordaient en autant de chapitres différents aspects de leur métier. On y dénonçait l'«information-supercherie», le produit d'information «usiné»; on s'y inquiétait des difficultés de la presse régionale ou du manque d'intérêt des Québécois pour l'international.

On y soulignait aussi le défi de la gestion des entreprises de presse. Après tout, c'est *neuf* quotidiens québécois qui avaient disparu au cours des vingt années qui venaient de s'écouler. Il y avait de quoi être préoccupé. De fait, après cette vague de fermetures dans la presse écrite, d'importantes réductions d'effectifs atteindraient la radio, particulièrement celle du secteur privé, dans les années 1990. Ses salles de nouvelles disparaîtraient ou seraient mises en coupe réglée, une saignée aujourd'hui oubliée mais qui fut vécue comme un électrochoc par la profession.

Je garde pour ma part un vif souvenir de l'incrédulité de mes collègues de CKVL – 25 journalistes ! – quand on les a mis devant le fait accompli de la fin des opérations de leur salle de nouvelles. C'était en 1991. Il ne s'agissait pas d'une réduction de postes, ni d'une fermeture complète de la station comme cela s'était déjà vu, notamment à Lévis trois ans plus tôt. Non, on leur signifiait brutalement l'arrêt total d'un service qui avait fait la force de la station historique de Verdun, celle-ci continuant par ailleurs de diffuser le reste de sa programmation (elle finit néanmoins par fermer ses portes en 1999).

Le style aussi changeait, et cela était accueilli par des grincements de dents. Dans *Les journalistes* on lit ainsi la phrase suivante : « Aujourd'hui [...], c'est le règne de la capsule, du comprimé, de la pilule, du flash, de l'essentiel en cinq ou dix lignes, du « punch » obligatoire. En raison de la concurrence de plus en plus féroce, sanglante même, la presse cherche sa planche de salut dans le potin, le fait divers, l'instantané fugace, mais qui accroche l'œil ou l'oreille. » (p. 290)

L'auteur de ces lignes, mon ancien collègue du *Devoir* Gilles Lesage, était alors correspondant parlementaire et dénonçait ainsi la culture des tabloïds, qui faisait son chemin dans l'ensemble des médias. On entend exactement les mêmes commentaires aujourd'hui, mais à propos cette fois des effets pervers des changements technologiques.

Et ceci : « La presse est plate, médiocre et sans grande saveur. Mais il y a plus grave, elle fuit ses responsabilités : elle n'informe pas, ou si peu et si mal. Il suffit de tendre l'oreille autour de soi pour prendre le pouls de la désaffection, de l'insatisfaction [...] à son endroit. "Les journaux sont vides, il n'y a rien d'autre à lire que des titres." [...] "Moi, je lis les chroniques, à part ça..." [...] "Les reportages sur la campagne électorale ne sont que des montages insignifiants sans contenu." » L'extrait est tiré de l'essai de Colette Beauchamp (p. 89). Dans son ouvrage d'une implacable précision, elle épinglait, exemples à l'appui, les lacunes d'une « information-capsule », d'une « information-spectacle », d'une information blanche et masculine, aussi.

Elle soulignait encore : « Quand les médias investissent dans l'information, ils visent prioritairement le contenant, c'est-à-dire l'équipement technique de pointe pour cueillir et diffuser l'information [...]. Ils dépensent très peu ou pas du tout pour l'embauche, la formation et le recyclage des journalistes. » (p. 42) Ç'aurait pu être écrit hier, c'était il y a trente ans.

Tu comprends pourquoi j'ai du mal à voir de l'inusité dans nos craintes d'aujourd'hui ? Je regrette profondément que certains problèmes perdurent ou empirent – le peu de ressources consacrées à la main-d'œuvre par exemple, ou le départ de journalistes à qui on n'a pas pu ou su, en dépit de leur talent, faire de la place. Mais certaines critiques sempiternelles sur le contenu me font presque sourire. En un sens, cette continuité me rassure : le journalisme continue d'être scruté à la loupe, brassé, remis en cause, ce qui est essentiel dans une démocratie.

Je te dirais même que d'une certaine manière, ça va mieux par la grâce même de la technologie : la réponse et la critique du public sont plus présentes que jamais et font désormais partie de la structure médiatique. Pas moyen de dormir sur ses lauriers, car les citoyens vigilants (non, il n'y a pas que des consommateurs dans nos sociétés !) ne nous laissent aucun répit.

D'ailleurs, pour moi, la plus profonde révolution qu'a traversée le métier en ce début de siècle est précisément celle-là : la réactivité immédiate des lecteurs, auditeurs, téléspectateurs. Le produit journalistique n'est plus comme naguère un paquet à prendre ou à laisser, livré tout ficelé et au sujet duquel les réactions étaient finalement bien rares : un coup de fil le jour même pour les plus audacieux ou les plus fâchés, une lettre envoyée au courrier des lecteurs pour qui tenait vraiment à se faire entendre. La réaction était donc reçue soit en privé, soit en décalé, et n'était jamais massive. Au fond, un journaliste pouvait travailler en ignorant complètement à qui il s'adressait.

Aujourd'hui au contraire, tout se passe en temps réel et sur la place publique : dès la publication, la qualité et la crédibilité du travail journalistique sont susceptibles d'être mises en cause et comparées à ce qui se fait ailleurs – dans les médias traditionnels ou émergents, dans des publications alternatives ou des sites militants. Une erreur, une omission sont aussitôt signalées et les compléments d'information trouvent vite leur chemin. Des affirmations sont critiquées, des faits sont contestés, des débats s'engagent. Si tout ce qui est publié ne suscite pas de telles réactions, il n'est plus possible d'en ignorer la possibilité : fini le travail en vase clos !

C'est exigeant, et parfois pénible : les commentaires, privés ou publics, arrivent à toute heure du jour ou de la nuit, et leur ton, fruit de la spontanéité du médium électronique et de l'anonymat qu'il permet souvent, va des félicitations toutes simples à l'interpellation qui exige réponse immédiate, et parfois jusqu'aux insultes les plus inacceptables. Mais au moins, dans la mise en ordre du monde qu'offrent les médias, toutes les parties ont désormais une place : les décideurs, créateurs et acteurs dont nous avons toujours traité, mais aussi les silencieux d'autrefois, c'est-à-dire ceux qui doivent vivre avec ces décisions, ces créations et ces actions. C'est un changement de paradigme majeur. Ce qui me réjouis en lui, c'est qu'il peut inciter les journalistes à mieux faire leur travail.

Est-ce que ça marche toujours ? Mais non. Des journalistes blasés, paresseux, pressés, ou simplement dans l'erreur, il y en a eu hier, il y en a aujourd'hui, il y en aura demain : on est humains ! De même que des patrons obsédés par la rentabilité qui exigent toujours plus ou donnent à l'aveuglette de grands coups de balai : la recherche du profit avant tout n'est pas un phénomène récent dans la presse. Je te le redis : je trouve tous les jours de quoi râler !

Mais je veux ajouter un point crucial : chaque jour, je trouve aussi matière à applaudir, et souvent très fort. Telle entrevue de Paul Arcand, telle nouvelle en exclusivité, telle enquête, telle série de *La Presse*, de QMI, du *Devoir*, de la *Gazette*, la chronique de l'un, l'analyse de l'autre... À Radio-Canada, je m'emballe pour des émissions de radio entières, des spéciaux de RDI, un topo au *Téléjournal*, un site qui regorge d'informations mises à jour et d'archives. Telle publication me paraît n'être plus que l'ombre d'elle-même depuis un bout de temps ? Voilà qu'un reportage ou une chronique sort du lot. Des magazines meurent, d'autres se créent ou se revampent et

osent de nouvelles formules, papier ou Web : *Liberté,*
Urbania, Nouveau Projet, BazzoMag, Planète F (la
création, d'ailleurs, d'une jeune journaliste comme
toi, Mariève Paradis)...

Et TVA ? Allons-y ! J'ai des souvenirs pas du tout
mémorables du temps où l'actualité internationale
y était inexistante ; seul comptait le fait divers.
L'information y est infiniment mieux sélectionnée
et livrée aujourd'hui. Très souvent même, son téléjournal, que je suis avec assiduité, offre un meilleur
éventail de nouvelles que celui de Radio-Canada. Et
quand je vois la campagne présidentielle américaine
ouvrir le bulletin pour être ensuite mise en contexte
par de vrais spécialistes, je mesure pleinement le
contraste saisissant avec le passé.

Le Journal de Montréal alors ? Tu es trop jeune
pour avoir connu l'époque de la « pitoune de la
page 7 » et du jaunisme extrême qui s'étalait quotidiennement à la une. Sexe, sang et sports, telle était
au départ la formule à succès du quotidien de Pierre
Péladeau. La liste des sujets auxquels s'intéresse
maintenant le *JdM* s'est considérablement allon-
gée et il est devenu depuis un bon moment déjà une
source d'information précieuse, notamment en journalisme d'enquête.

Quand je juge notre métier, je mets tout cela
dans la balance. Et quand je suis insatisfaite de ce

qu'on me sert ici, je suis à un clic de la presse internationale, mais aussi des contenus hors médias traditionnels. Le territoire de l'information accessible n'a jamais été aussi vaste qu'aujourd'hui.

Je serais par ailleurs bien malvenue d'être amère, car j'ai eu la chance d'être directrice de l'information puis rédactrice en chef à un moment où le Québec vivait des années extraordinaires de journalisme d'enquête, un formidable effort collectif qui a mené à la Commission d'enquête sur l'octroi et la gestion des contrats publics dans l'industrie de la construction, connue sous le nom de commission Charbonneau.

Ce fut un travail fou que de détricoter les mailles de la corruption, du financement des partis politiques, du crime organisé et des autres tours de passe-passe dans le secteur de la construction. Il fallait établir des liens complexes tout en contrant les mises en demeure qui nous arrivaient en rafales ; il fallait faire parler les gens alors que régnaient l'omerta et la peur. Tous les médias ont apporté leur contribution : l'émission *Enquête* de Radio-Canada, *La Presse*, *Le Devoir*, *The Gazette*, les journalistes du *Journal de Montréal* et ceux de son antagoniste syndical, né d'un pénible lock-out, *Rue Frontenac*... Chacun à sa manière, et selon ses moyens, a aidé à reconstituer brique par brique l'édifice de ce qui s'avéra être un système encore plus imposant qu'on ne l'aurait cru.

Il y eut une collaboration, tant officielle qu'amicale, entre journalistes de médias différents, ce qui n'est pas si fréquent. Les découvertes du collègue d'en face, qu'elles soient fracassantes ou portent sur des points de détail, servaient de tremplin aux investigations des autres. Plus question d'ignorer le travail de la concurrence – un travers trop répandu dans le métier. Personne n'avait le monopole des enquêtes et les histoires qui en découlaient se développaient dans un fascinant continuum.

Quand j'étais jeune journaliste, les « anciens » racontaient des histoires de coopération entre médias pour déterrer des scandales des années 1960, 1970. Ils concluaient leurs récits en se désolant que le journalisme se joue désormais sur l'air du chacun pour soi. Le temps de la solidarité semblait terminé. Et voilà qu'à mon tour, je vivais une synergie de presse exceptionnelle, tournée vers un objectif commun : comprendre et montrer ce qui se magouillait dans le dos des Québécois.

Les journalistes allaient au front, et leurs patrons les soutenaient et les défendaient. Tout cela a duré des années, ce qui est aussi exceptionnel. Le pic des révélations journalistiques a eu lieu entre 2009 et 2012, début des audiences de la commission

Charbonneau, mais c'est huit ans qui se sont écoulés entre la première révélation de l'attribution douteuse d'un gigantesque contrat d'installation et d'entretien de compteurs d'eau à Montréal, faite en décembre 2007 par Kathleen Lévesque dans *Le Devoir*, et le dépôt du rapport final de la commission, en novembre 2015.

On pourrait être tenté de décrire cet épisode comme un âge d'or, mais je me méfie de ce terme qui laisse entendre aux jeunes comme toi qu'ils ont manqué quelque chose qui ne reviendra plus. Il n'y a pas d'âge d'or, seulement des circonstances qu'on ne contrôle pas, et dont il faut savoir profiter quand elles passent.

Au moment où je t'écris, de vastes enquêtes qui exigent une coopération internationale entre grands médias attirent l'attention du public. Celle sur les paradis fiscaux révélés par les Panama Papers, par exemple : 11,5 millions de documents fuités par un inconnu à un journaliste allemand qui, pour valider ce qui lui tombait du ciel, a dû être appuyé par 400 collègues de 80 pays qui ont travaillé pendant des mois et n'ont malgré cela pu dépouiller qu'une partie de cette « enveloppe brune » informatique. Mais déjà, leurs révélations sont formidables tant elles nous en apprennent sur les combines des ultrariches.

Tout cela est fort inspirant. Néanmoins, il faut modérer ses attentes. Le journalisme d'enquête est un travail ardu et de longue haleine, dont les résultats sont incertains et souvent décevants : on ne découvre pas tous les jours le scandale de la décennie, celui qui mobilise le public et fait bouger les élus. Et quand on le débusque, il y a tout un chemin à faire pour confirmer et documenter les informations qu'on a recueillies, afin d'arriver sur la place publique avec un dossier bétonné qui résistera à l'armada d'avocats des puissants, qui qu'ils soient. Ce n'est jamais simple et ça ne se commande pas.

Mes vieux livres regorgent de références à d'autres âges d'or : du journalisme politique ou syndical ou littéraire, du photoreportage, du reportage de guerre, du long récit journalistique, des grandes émissions d'affaires publiques. Par définition, l'âge d'or est toujours révolu. Pourtant chaque génération de journalistes vit des moments d'actualité exceptionnels : des murs de Berlin qui s'érigent, puis qui tombent, des mai 1968 qui brassent, des référendums, des printemps arabes, des printemps érable. Il y a aussi des moments médiatiques plus diffus, mais qui se déploient autour de sujets d'une importance fondamentale : le sort climatique du monde, la nouvelle prise de parole des femmes agressées, les demandes de ceux qui souhaitent mourir dignement

– des enjeux auxquels les médias traditionnels ne s'intéressaient pas ou si peu il y a dix ou vingt ans. Qui sait ce que seront les grands sujets de demain, ceux dont on n'a aucune idée aujourd'hui? Sois-en certaine, il y en aura!

Note bien toutefois qu'il te faudra probablement batailler avec tes patrons pour les convaincre de la pertinence d'y consacrer des ressources. C'est qu'au-delà des personnes en poste, et sans égard à leurs moyens financiers, en tant que système, les médias tendent vers la prudence et le conservatisme social. Crois-moi, les défricheurs de domaines comme l'environnement ou les nouvelles technologies ont eu à se buter à bien de la tiédeur et de l'incompréhension quand ils déposaient leurs propositions de reportages.

Dans les années 1980, en dehors des magazines féminins, mes sujets sur la condition féminine exaspéraient la plupart de mes patrons, qui les bloquaient carrément ou minimisaient leur importance, peu importe le média. Même la féminisation des métiers ne passait pas. Les femmes étaient députés, écrivains, professeurs, directeurs, etc.: on les affublait systématiquement de titres au masculin et, pour bien des patrons de presse, prétendre y changer quoi que ce soit relevait du militantisme, ce qui contrevenait à la règle d'airain de l'objectivité journalistique.

Le même raisonnement s'appliquait aux sujets de reportages touchant spécifiquement les femmes. La féministe en moi ne se possédait plus devant tant de stagnation ! Alors je regimbais, je m'ostinais, ou j'attendais que *le* chef de pupitre compréhensif et progressiste soit à l'horaire pour soumettre mes articles (que Pierre Cayouette, qui était alors au *Devoir* et qui œuvre maintenant dans le monde de l'édition, soit ici formellement remercié !).

Même quand l'idéologie ou le mouais-pas-sûr-car-j'ai-jamais-vu-ça ne sont pas en cause, sortir des ornières du conventionnel demande un effort. En 2007, Kathleen Lévesque a dû ramer fort pour convaincre ses patrons – moi comprise – qu'un contrat concernant des compteurs d'eau pouvait intéresser les lecteurs. Des compteurs d'eau en une, pour l'amour ! Mais à l'aide de petits dessins avec des flèches à suivre pour comprendre qui était relié à quoi, et où menaient les ramifications complexes et souterraines de l'affaire majeure qu'elle avait découverte, elle nous a finalement persuadés que oui, il y avait là de quoi faire la manchette.

Tout cela pour te dire qu'on peut faire notre métier en se contentant d'un certain conformisme, mais que pour bien le pratiquer, les journalistes doivent savoir brasser la cage, rouspéter, pousser pour des sujets, des angles, des longueurs, des manières de travailler. Ne sommes-nous pas les professionnels du doute et de la remise en question ? Ça n'est jamais de tout repos mais c'est ainsi qu'on avance. Tu t'en souviendras, quand la morosité te guettera !

Septième lettre

LA DISPONIBILITÉ

On est journaliste 24 heures sur 24.

À l'ère où tout le monde parle de la conciliation famille-travail, même aux plus hauts échelons de ce tue-monde qu'est la carrière politique, j'admets que ça peut abasourdir. Mais que veux-tu? le journalisme n'est pas un métier à horaires fixes. Du moins pas dans la conception que je m'en fais. Et j'ai eu quatre enfants.

Pour mieux te parler de cet impératif de disponibilité, il faut que je te dise d'où je viens. Quand je suis entrée pour la première fois au *Devoir*, en novembre 1989 (je quitterais le journal en 1993 pour y revenir en 2001), j'avais déjà un enfant, un bébé de quatre mois. Vu mon jeune âge à sa naissance – 26 ans – et mon intention avouée de faire carrière, c'était inusité. Autour de moi, je ne connaissais pas d'autre fille de ma génération dans cette situation.

Je n'étais pas en congé de maternité : en tant que pigiste, cette possibilité n'existait pas pour moi, et j'avais besoin de travailler pour vivre. J'étais donc surnuméraire à La Presse Canadienne, de retour au travail avant que ma petite ait eu deux mois (pas à temps plein, mais quand même sur appel). Je te rassure, je n'ai rien d'une martyre : mon conjoint s'occupait tout autant que moi, sinon plus, de notre bébé, mes parents nous aidaient beaucoup et comme j'étais pourvue d'un grand sens de l'organisation, et portée par l'énergie de la jeunesse et la passion de mon travail, je m'en tirais.

Mais c'était un vrai poste, permanent, qui s'offrait maintenant à moi, dans un journal auquel je rêvais. À l'époque, le milieu était macho – ça faisait un moment que je l'avais compris. J'avais noté que les femmes qui travaillaient n'avaient pas d'enfants, ou se faisaient très discrètes à leur sujet. De mes études en droit, j'avais aussi retenu ce qu'on racontait des entretiens passés par les aspirantes avocates désireuses de se faire embaucher par de grands cabinets : il n'était pas rare qu'elles se fassent demander si elles envisageaient d'avoir des enfants ! Crois-moi, elles n'avaient pas intérêt à répondre oui.

Je voulais vraiment l'emploi au *Devoir*, et je n'entendais pas courir le moindre risque de le voir m'échapper. Je me suis donc pliée au contexte social dominant : en entrevue, puis à mon arrivée dans la salle de rédaction, je me suis abstenue de dire que j'étais mère de famille depuis peu. Petit milieu (curieux) oblige, la vérité s'est vite sue. Mais je ne m'épanchais pas sur le sujet, et j'étais prête à faire tout ce qu'on me demandait : travailler tard le soir, partir à Québec à vingt-quatre heures d'avis, dépanner pendant des semaines à Ottawa. Cette disponibilité m'apparaissait alors, et me semble toujours, aller de soi.

Je n'avais que deux semaines à mon actif au *Devoir* quand la tuerie de Polytechnique a eu lieu, le 6 décembre 1989. J'avais quasiment fini ma journée, je m'apprêtais à rentrer chez moi. Mais il était clair, sitôt la nouvelle connue, que je devrais rester pour couvrir la tragédie puisqu'au nombre des secteurs que l'on m'avait assignés à mon embauche, il y avait celui de la vie étudiante. Avant même que le chef de pupitre s'approche, je savais que ce qui se passait à Polytechnique tombait sous ma responsabilité et que je serais de l'équipe qui travaillerait toute la soirée. Chéri, à toi le bébé ce soir – et les interminables jours suivants, alors que la couverture de cet événement bouleversant ne faiblissait pas. C'était l'évidence même : quand on est responsable d'un secteur, on assure. Et la vie d'un quotidien est pétrie d'aléas : on sait l'heure à laquelle on y entre, jamais celle à laquelle on en sort.

Ramenons quand même les choses à leurs justes proportions : il n'y a pas, loin de là, de l'imprévu ou du spectaculaire tous les jours. Néanmoins, tout au long de ma carrière, l'actualité m'a empêchée bien des fois d'aller chercher les enfants au service de garde, tout comme elle est souvent venue bousculer des activités familiales prévues de longue date et bousiller des dimanches tranquilles.

Ça fait partie de la job, c'est même ce qui lui donne tout son sel. Il y a des moments où la salle de rédaction travaille à plein régime, parce que l'actualité est en développement et que son issue est incertaine. Les soirées électorales en sont un parfait exemple. Ces soirs-là, plus d'horaire ou d'affectation qui tienne : chacun est prêt à accomplir les tâches les plus modestes et à rester à son poste au-delà de la tombée pour être de la partie.

Quand je suis entrée dans le métier, ce n'est donc pas la charge de travail et l'imprévisibilité des horaires qui m'agaçaient dans la question de la conciliation avec la vie de famille (dont, par ailleurs, personne ne parlait à l'époque). C'était plutôt la rigidité d'application de certaines conditions de travail qui ne touchaient pas seulement le monde médiatique, mais toutes les entreprises.

Exemple classique : un enfant est malade, il doit rester à la maison, mais avec qui ? Dans un des emplois que j'ai occupés, si c'était moi qui m'y collais, je devais piger une journée de « congé » dans ma banque de vacances, déjà pas si garnie. J'y voyais une grande injustice par rapport à mes collègues sans enfants pour qui il était impossible d'être ainsi pénalisé. Et Dieu sait à quel point des parents qui travaillent ont besoin de leurs vacances ! Dans un autre poste, j'avais un patron qui avait plutôt le réflexe de me lancer : « Y'a pas le père pour s'en occuper ? » Or, « le père » faisait déjà plus que sa part pour se libérer afin de prendre soin de nos enfants malades, de les conduire chez le dentiste, ou d'assister à des activités scolaires en plein milieu de journée ! Je m'absentais avec parcimonie, et je peux t'assurer que je n'appréciais guère qu'on me fasse sentir, les rares fois où ça m'arrivait, que je tirais sur la corde.

Je garde aussi un mauvais souvenir de ce que j'ai vécu lors de ma troisième grossesse. Bon, déjà, trois enfants, mon entourage professionnel n'en revenait pas ; passons sur certaines remarques que j'ai alors entendues. Non, le véritable problème, c'était mon horaire de travail : de sept heures du soir à deux heures du matin.

Jamais endormie avant trois heures du matin, enceinte, avec deux bambins qui se levaient aux aurores et que j'entendais remuer même si mon irremplaçable conjoint s'occupait d'eux avec diligence, le résultat était net : j'étais é-pui-sée. Quand je m'en suis ouverte à mes patrons, je fus accueillie sans empathie, sur le mode du « à toi de t'arranger... ». Alors j'ai trouvé une solution : échanger mon horaire avec celui d'une collègue qui se tapait les fins de semaine depuis des années et demandait régulièrement qu'on lui permette de travailler en semaine, ce qui lui était toujours refusé. C'était une permutation simple qui nous convenait toutes les deux, et que les patrons ont heureusement avalisée (c'était bien le moins : on venait de leur régler deux problèmes d'un coup !). Certes, j'y perdais mes week-ends en famille, mais je n'avais pas le choix : je ne pouvais plus continuer ainsi. De toute manière, le congé de maternité qui, cette fois, allait venir me permettrait de me rattraper.

Lorsque j'ai eu à mon tour des responsabilités de chef d'équipe, puis de patronne, je me suis bien promis de faire preuve de compréhension et de flexibilité devant les vicissitudes de la vie familiale. Un enfant malade, ça n'est pas des vacances pour le parent qui reste à son chevet ! Ça mérite d'être assimilé à un congé de maladie. Compréhension, aussi, pour les rencontres de jour à l'école, les rendez-vous médicaux, les contraintes d'horaires des CPE, les imprévus...

Sauf que.

Sauf qu'au fil du temps, j'ai vu l'élastique s'étirer. Des pères et des mères partaient plus tôt en nous avisant qu'ils enverraient leur texte de la maison. Quand cette manière de faire a commencé à se répandre, l'entente était que l'article serait prêt en tout début de soirée. Pas de problème. Mais voilà, peu à peu, dans de plus en plus de cas, l'attente s'est prolongée : c'est qu'on avait d'abord dû faire manger les enfants. Et puis le bain s'était ajouté. Et l'histoire avant de dormir. Ce n'est qu'après tout ça que l'article était finalisé.

Pendant ce temps, les réviseurs et les pupitreurs attendent, voient l'heure filer, et la tombée arriver. Le stress monte et le mécontentement aussi. Inévitablement, tout ça finit un jour par déboucher dans le bureau du patron. En l'occurrence, moi. Bien embêtée.

Un « vieux » pupitreur, père monoparental, m'a dit un jour : « Dans mon temps, il y avait une belle invention : ça s'appelait une gardienne ! » Franchement, je ne pouvais pas lui donner tort : le problème se répercutait sur l'ensemble de la chaîne de travail. Mais comment le contrer ? À la moindre intervention, bonjour les grognements face à l'insensibilité patronale !

On a vu aussi apparaître le phénomène des parents disposés à travailler jusqu'à une heure donnée, mais pas plus tard. Impossible ou presque de les joindre par la suite. Du journalisme de neuf à cinq, ou disons, le moins tard possible. Mais un quotidien se monte et se corrige en soirée. Et les rebonds dans l'actualité ont le don de se manifester vers 17 heures, même le vendredi. (J'ai toujours gardé en tête une remarque d'Armande St-Jean, ancienne journaliste de Radio-Canada qui commençait sa carrière de professeure quand j'étais étudiante en communications à l'UQAM : « Une salle de rédaction, disait-elle, ça ressemble à n'importe quel autre milieu de travail, si ce n'est qu'on y travaille *vraiment* et jusqu'au bout le vendredi ! »)

Théoriquement, les solutions sont simples. Il suffirait par exemple de former des tandems dans chaque secteur, de telle sorte que la tâche soit répartie entre des collègues qui pourront compenser leurs absences respectives. Ou encore, on peut déléguer la suite d'un travail entamé dans la journée aux journalistes de soirée.

Mais, tu le devines, les médias n'ont pas les moyens de doubler leurs effectifs. Et il y a des limites au nombre de tâches qui peuvent être assignées aux

collègues, moins nombreux, qui travaillent le soir.
De plus, il y a une responsabilité professionnelle à
porter avec chaque article, et des expertises qui ne
se transfèrent pas si facilement. Le journalisme est
aussi une affaire de relations : quand on a travaillé
sur une nouvelle exclusive et qu'on attend que le ministre rappelle pour enfin la sortir, il vaut mieux
prendre le téléphone soi-même quand il sonne,
même s'il est 20 heures. On ne quitte pas non plus
son poste lorsque d'importantes négociations ont
cours à un niveau ministériel – celles qui ont marqué le Printemps érable, par exemple – en disant :
«Désolé, il est 19 heures, fini pas fini, je rentre à la
maison.»

Quant aux appels reçus en secret par les journalistes d'enquête, ils ont rarement lieu durant les
heures de bureau : ça se passe tôt le matin, le soir, la
fin de semaine. Quand le cellulaire vibre parce qu'une
source précieuse cherche à nous joindre, on ne fait
pas : «Tant pis ! C'est samedi et je suis concentrée
sur la pratique de soccer de la petite.» On décroche !

Enfin, c'est ainsi que je persiste à voir les choses,
en dépit des débats qui ont cours et des exigences
qui montent. Et puis, les aménagements souhaités
par les uns font trop souvent abstraction des frustrations qu'ils engendrent chez les autres. Un boulot inachevé ne disparaît pas, ce sont les collègues qui

doivent l'assumer. Ils sont souvent parents eux-mêmes mais, *workaholics* de tempérament ou soucieux de mener un dossier jusqu'au bout, ils sont encore à la rédaction quand éclate la nouvelle de dernière minute qui doit impérativement être confiée à quelqu'un. J'ai bien des fois été témoin de leur exaspération : « Heille, c'est pas le dossier d'Untel, le secteur d'Unetelle ? Je m'arrange bien, moi, avec mes enfants : ils pourraient se forcer pour faire pareil ! » Le patron tempère, tente des arbitrages.

Quant à ceux qui n'ont pas d'enfants à charge, ils finissent par en avoir marre de jouer les roues de secours. C'est qu'ils voudraient bien avoir une vie, eux aussi ! Le patron tempère, tente des arbitrages... Mais il s'arrache bien souvent les cheveux ! D'autant plus que la question est un sujet tabou. Personne n'ose dire tout haut qu'il trouve son voisin franchement intransigeant, surtout quand il est question de vie familiale. L'employeur, lui, finit par se buter à de vraies limites quant à la flexibilité et à la réorganisation requises pour satisfaire tout le monde.

J'admets que dans ma réaction, il y a peut-être un effet générationnel. La vie se réinvente tout le temps, après tout... Mais il ne faut pas rêver : il y aura toujours, dans ce métier, des moments où les compromis sont impossibles, peu importe l'environnement où on le pratique – même s'il est vrai que les contraintes sont particulièrement fortes dans les médias quotidiens.

Quand j'étais éditorialiste, si mon texte n'était pas terminé avant la fermeture du CPE, je ne pouvais pas demander à quelqu'un d'autre de le finaliser. Impossible aussi de rentrer à la maison pour le boucler : j'aurais dépassé la tombée de la page éditoriale – et une tombée, c'est sacré ! J'essayais donc d'éviter de me retrouver dans cette situation. Mais quand ça arrivait, je filais chercher la petite à la garderie (à deux pas, heureusement) et je la ramenais au bureau. Je terminais mon travail en la guettant du coin de l'œil. Intellectuellement, ce n'était pas l'idéal, je craignais qu'elle ne dérange l'équipe en plein travail et ma conscience me taraudait : n'étais-je pas en train de lui gâcher son enfance ? Penses-tu ! Gâtée par les collègues qui lui fourguaient des bonbons, vissée devant la télé ou occupée à faire des dessins pour sa maman, fillette adorait ces virées à la rédaction. Elle les réclamait, même ! Un enfant bien entouré, on l'oublie, sait formidablement s'adapter.

Et le métier a quand même changé : je ne connais personne qui fait un secret de sa progéniture de crainte de ne pas être embauché, et les patrons de presse ne sont plus systématiquement des hommes dont l'épouse au foyer, ou à la carrière menée sur le mode mollo, est là pour leur faciliter la vie. Au

Devoir, la rédactrice en chef que j'étais a eu pour grande complice Marie-Andrée Chouinard, une directrice de l'information d'exception, qui répondait, et répond toujours, présent, sept jours sur sept... et qui a elle-même trois enfants. Dans nos vies de fous, dans ce métier tourbillonnant, nous arrivions chacune à notre manière, mais aussi en nous soutenant, à trouver un équilibre.

Alors je le maintiens : avec des proches compréhensifs, tu trouveras des arrangements fructueux, mais tu seras quand même journaliste jour et nuit. Si tu as des enfants, ne crains rien : ça ne les empêchera pas de s'épanouir.

Huitième lettre

LE PLAISIR

C'est ma dernière lettre, et j'aurais envie de te parler de ce qui a toujours été pour moi l'un des plus grands bonheurs de notre métier : écrire.

Non, il ne sera pas question ici de *storytelling*, expression à la mode dans le milieu qui me semble particulièrement appréciée de ceux qui n'ont jamais signé grand-chose mais en rebattent les oreilles à leur entourage. Eh ! ce n'est pas de formatage que je veux te causer, mais de l'écriture comme geste, comme sensation, comme mouvement de la pensée, et comme rendu final. Autant de choses dont on ne parle jamais, noyées qu'elles sont dans la routine, mais qui, moi, m'allument totalement.

Ne te sens pas délaissée si ton chemin semble te mener plutôt vers le journalisme électronique, visuel, de pupitrage, de données : tous les journalistes ont un rapport privilégié à l'écriture, et celle-ci peut prendre plusieurs formes. Mais il est vrai que c'est à la presse écrite que je pense d'abord en te faisant cette lettre.

Tu écris comment, toi? Je veux dire: mets-tu d'abord tes notes en ordre? Tapes-tu tous tes verbatim *in extenso*? T'enfermes-tu dans la musique, les écouteurs vissés dans les oreilles? Fuis-tu l'écran jusqu'au tout dernier moment, ou l'affrontes-tu dans une longue joute massacrante? Et quand tu tournes tes phrases, les mots sont-ils des outils ou des compagnons? Te font-ils peur, souffrir, sourire?

J'ai toujours été curieuse du rapport de mes collègues à cet acte banal qui est pourtant au cœur de leur travail: écrire un texte. C'est un exercice particulièrement exigeant dans un quotidien, où l'espace et le temps sont comptés ligne à ligne, minute par minute. Il faut allier clarté, concision et style sans avoir le loisir d'y penser: il faut bâtir vite, bien et net. Et surtout, rendre l'ouvrage à temps: c'est l'impératif absolu. Pour y arriver, il y a autant de manières de se démener qu'il y a de journalistes!

Au *Devoir*, en tant que patronne, je pouvais lire par-dessus l'épaule des collègues depuis l'ordinateur de mon bureau. Mais je préférais encore circuler dans la rédaction pour jeter un œil sur le chantier.

Tiens, arrêtons-nous un instant à ce poste de travail. Croirais-tu que ce fatras de notes sans queue ni tête, jetées en vrac sur l'écran, est destiné à la manchette ? Tu vois l'heure, et tu frémis : ça commencera comment, ça déboulera dans quel ordre ? Seule la journaliste le sait. Ou plutôt non, elle ne le sait pas encore, et ça la rend fébrile. Mais tout ce matériel réuni pêle-mêle la rassure : il en sortira bien quelque chose, puisque plein de choses lui sautent aux yeux.

Elle ne regarde pas son voisin. Pas besoin. Même avec un clavier silencieux, elle l'entend frapper les touches frénétiquement. C'est très énervant, la preuve que lui, il sait où il s'en va. Entre toi et moi, je crois plutôt qu'il tape pour conjurer sa peur que son idée ne se sauve ! Il s'empresse de tout faire jaillir, et les coquilles s'emmêlent en un charabia quasi illisible. Le nettoyage s'annonce pénible : espérons qu'il ne surchargera pas les réviseures.

Tiens, sur cet écran-ci, des blocs : des paragraphes qui se tiennent, mais cherchent encore leur agencement. C'est un vrai jeu de construction, compliqué sans cesse par l'ajout de nouveaux matériaux, quand le reporter tire un communiqué des piles qui l'entourent, retrouve des gribouillis résumant une conversation téléphonique, ou relit les notes qu'il a prises au point de presse auquel il a assisté le matin.

Pour l'instant, il monte le son de la télé car le ministre apparaît enfin pour émettre un commentaire. Encore un bloc à ajouter. Zut! il y en a trop, il faut couper!

Il y a les efficaces, aussi. Ceux qui écrivent toujours dans l'espace exact qui leur est dévolu sur la page imprimée, histoire de voir où les mots coupent, où les phrases finissent, et de sentir ainsi la respiration de leur papier.

Les enveloppeurs, quant à eux, déploient leur texte comme un long ruban qui s'attache à leur article précédent sur le sujet, auquel ils renvoient en en citant des éléments, démontrant que leur travail suit une direction, s'inscrit dans un contexte.

Et tu as vu les méditatifs qui, levant les yeux au ciel, cherchent leurs mots, les cueillent et les ajoutent à leur texte comme si ça allait de soi? Tout le contraire de ceux qui fixent intensément leur écran comme si le produit final les y attendait déjà. Il y a encore les livreurs de brut – info connue, info livrée – et ceux qui enrobent les choses, toujours à la recherche de l'expression parfaite.

Quand la pression monte, ces différences ne disparaissent pas. La journaliste qui est assise là-bas, demande-lui, pour voir, de ne pas oublier telle précision. Ta remarque à peine énoncée, elle a déjà glissé l'info dans son article comme si celle-ci y avait toujours eu sa place. Et cette reporter, là, qui rôde, qui rôde, ne s'assoira-t-elle donc jamais pour terminer son texte? Non, pas tout de suite, la tombée ne l'effraie pas encore assez. Et lui, pendu à son téléphone depuis des heures, quand se tournera-t-il enfin vers son écran? Bientôt, ne t'en fais pas : il laissera même trois articles avant de partir. Ah! Un papier terminé ici? Pas si vite : son auteur s'apprête à le refaire de A à Z. Tant qu'il reste du temps...

Alors on soupire, on tempête, on sue, on brasse du papier, on se mord les joues, on monte le son dans les écouteurs. Ou alors, on fait preuve d'une incroyable désinvolture. Je revois ce collègue qui, un soir d'élections, alors qu'il signait le papier principal, nécessairement ajusté jusqu'à la dernière seconde, prenait des notes sur l'évolution du vote avec son stylo-plume en ignorant son clavier, l'air aussi détendu que nous étions survoltés. Écrire est toujours une épreuve, mais ça n'empêche pas l'élégance du geste.

Et moi? Moi, je m'accroche à trois mots, les trois premiers. Pour me lancer, je ne connais pas meilleure méthode. Elle me vient d'un chef de pupitre à l'ancienne, aujourd'hui décédé, Guy Deshaies, avec qui je ne m'entendais pas du tout, mais qui savait écrire et s'en tenait à cette maxime : ce sont les trois premiers mots d'un texte qui vont décider un lecteur à embarquer. Voilà un mot d'ordre qui vaut à mon sens tout un traité sur le *storytelling*.

Quand vient l'heure de rédiger, je cherche donc ces trois mots puis les aligne à l'écran : me donnent-ils envie de lire ce qui va suivre ? Hum, ça commence raide... Cette formulation-là alors ? Non, ça tombe à plat. Et si je changeais juste ce mot ? Pas sûr. Dans le doute, j'efface. Et je cherche encore. Rien ne sera écrit tant que cette formule magique n'aura pas été trouvée.

La méthode, pour moi, est infaillible : les trois mots viendront et ils seront le début du voyage. Une fois lancée, il n'y a pas d'arrêt, pas de retour en arrière, pas de phrases ou de paragraphes déjà jetés sur l'écran à contourner. J'avance en ligne droite en prenant un engagement : « Toi, lecteur, tu vas me suivre jusqu'au bout ! Et pour t'y mener, je vais lever devant toi tous les obstacles, élaguer le texte de son trop-plein de mots, de ses détails superflus. »

J'ai en tête une image, celle d'un autre patron de presse pas facile à vivre, mais qui maniait le Montblanc avec un art consommé, rectifiant avec panache les phrases d'un article, biffant toute répétition, pestant sans retenue devant la faiblesse du vocabulaire, ramenant à trois mots ce que l'auteur avait formulé en deux lignes. Ça forme, crois-moi, d'avoir vu à l'œuvre Jean Paré, l'ancien grand patron de *L'actua-*

lité! Sache-le, il y a *toujours* de la matière à enlever, qu'il s'agisse de faire plus court ou de laisser plus de place aux informations pertinentes. Alors coupe, découpe. Mais surtout, relis-toi.

Écrire, pour moi, c'est surtout ça. Cinq, dix, quinze fois s'il le faut, quitte à étirer le temps jusqu'à la limite, je lis, je relis, parfois à voix haute, pour m'assurer que le texte coule sans qu'on s'accroche dans les virgules ou les liaisons inélégantes, que les acronymes ont tous été expliqués, que chaque personne citée a été bien identifiée. Relire jusqu'à ce que tout sonne bien, que tout tombe à sa place. Quand j'en arrive à ce travail sur les mots et le rythme, mon vrai bonheur commence. Et si le texte final est trop rarement à la mesure de ce que j'aurais souhaité, tant pis! Ce sera pour le lendemain: c'est la beauté du travail dans un quotidien.

Crois-tu que je divague? En fait, si tu aimes écrire, je suis sûre que tu me comprends. Alors j'ajouterai que tout cela n'a rien d'un exercice désincarné pour moi: il y a un rapport physique à l'écriture.

À l'époque où je faisais du reportage, j'étais convaincue qu'un texte réussi devait «partir du ventre». C'était une manière de m'obliger à incarner même les sujets les plus arides. «Lecteur, tu crois que cette histoire est embrouillée, technique, ennuyeuse, et que cet article ne sera que la répétition de ce que tu as déjà lu et entendu ailleurs ? Oh que non ! J'ai des choses à t'apprendre, à te montrer, et tu te sentiras bientôt aussi concerné par ce sujet que moi-même je le suis. »

J'ai signé peu de chroniques, mais j'en lis beaucoup, et j'y ai toujours associé une autre partie du corps : le cœur. Le lecteur vient vers le chroniqueur par affinité, ou au contraire, pour le plaisir de la divergence. Mais c'est par essence comme une main tendue, une invitation à la discussion. Toutes les chroniques, bien entendu, ne sont pas des chroniques d'humeur, mais elles portent toujours en elles l'identité de leur auteur. Il y a de l'affect dans ce rendez-vous !

L'éditorial, c'est tout autre chose. C'est moins un magistère qu'autrefois, mais c'est tout de même une position en surplomb, qui commande la retenue dans la prise de parole parce que celle-ci a une valeur collective. À l'édito, on représente une institution et on fait partie d'une équipe, ce qui implique l'écoute et le respect des avis exprimés par chacun. C'est pourquoi un éditorial s'écrit avec la tête. Quand le ventre s'en mêle, quand le cœur s'emballe, c'est le signe que la réflexion n'est pas achevée. L'éditorial est un argumentaire pondéré, un exercice d'autant plus exigeant – et donc stimulant – qu'il va à l'encontre de la spontanéité qui semble de nos jours devenue indissociable de l'expression d'opinions.

Mes trois premiers mots bien en place, ventre, cœur ou tête bien accrochés, j'écris donc. Mais je garde l'œil sur l'horloge, totalement convaincue que je n'arriverai jamais à terminer mon texte à temps et paradoxalement persuadée que dans cette course contre la montre, je finirai par l'emporter. Pas le choix, de toute manière. Mais quel sentiment particulier !

Je me revois à mes débuts, le soir, à quelques minutes de la tombée, avec un texte inachevé – parfois même pas commencé. Le pupitreur rôdait derrière mon dos, se tordant les mains, soupirant nerveusement. J'étais, comme lui, sur des charbons ardents. Mon cerveau, j'en étais sûre, était paralysé, mais pourtant, mes doigts glissaient tout seuls sur le clavier, confiants, eux, que le point final serait mis juste à temps. Et bingo ! J'y arrivais. Chaque fois. Plaisir exquis du jeu de la tombée.

Quelques années plus tard, le jeu s'est fait plus sérieux. Je garde le souvenir de fortes angoisses durant ma première vie d'éditorialiste au *Devoir* (j'en aurai une seconde en tant que rédactrice en chef). Dans l'après-midi, une fois réglée la page Idées dont j'avais la responsabilité quotidienne – tâche des plus accaparantes tant les textes soumis étaient nombreux –, je pouvais me tourner vers l'édito. Tombée : 18 h 30. D'ici là, il fallait lire, me renseigner, échanger. Et puis passer à l'étape suivante. Qu'avais-je à dire de plus ou de plus profond sur le sujet du jour ? Il ne s'agissait plus simplement de livrer un texte à temps, mais d'avoir aussi *réfléchi* sous la contrainte de l'horloge. Déjà 16 h 30, et je suis toujours penchée sur mes documents. Allons, pressons, pressons ! 17 heures ! Où est ma tête, où sont mes trois mots ? Et ce poids de l'héritage de Claude Ryan, de Lise Bissonnette, qu'il ne fallait surtout pas trahir, comme certains fidèles du *Devoir* se plaisaient à le rappeler quasi quotidiennement à l'équipe éditoriale !

Il n'y avait toutefois pas de retraite possible ; dans un journal, tout peut se remplacer par un texte d'agence de presse ou une photo. Mais pas un éditorial. Le trou est là, béant : il faut le remplir. Donc plonger. Alors je plongeais, mais il m'en a fallu du temps avant de pouvoir écouter le matin la recension de mes éditoriaux à la radio. Avais-je vraiment écrit cela ? Tout cela ? Seulement cela ? L'écriture est aussi une responsabilité.

Même une fois aguerrie, je n'ai jamais pris la fonction d'éditorialiste à la légère, et moins que jamais quand je suis devenue rédactrice en chef, avec tout ce que ce poste comporte de charge symbolique au *Devoir*. Mais, débordée que j'étais par mes tâches de patronne de salle de presse, je n'avais plus le luxe de trop m'en faire. Les trois ou quatre heures que j'avais pour lire, discuter, réfléchir *et* écrire étaient un concentré tel que l'angoisse de la page blanche n'y avait plus aucune place. Je gardais néanmoins conscience que, vu la tribune exceptionnelle qui m'était confiée, le geste d'écrire devait tendre vers la hauteur. Je n'y arrivais pas toujours, loin de là! C'était, selon les jours, souffrant, stimulant ou exaltant. C'était écrire, quoi.

Le résultat, c'est au lecteur d'en juger. Chacun a ses plumes favorites... Remarque, il ne faudrait pas surestimer l'attention que le public porte aux signatures : il faut du temps pour se faire un nom, et comme je te l'ai dit, c'est surtout la chronique qui donne de la notoriété. Le type de secteur couvert compte aussi pour beaucoup : les reporters qui arrivent à faire vivre des textes sur l'actualité financière font preuve de tout un talent, mais ils sont rarement remarqués !

Pour ma part, sans doute par déformation professionnelle, je note toujours qui a écrit un texte, même le plus banal. Il y a des signatures qui en soi me rassurent : je sais que telle journaliste travaille particulièrement bien, que chacun des mots de son texte aura été soupesé. Il y en a d'autres que je lis systématiquement, peu importe le sujet, parce que je me délecte d'avance de leur façon de dire les choses. Au *Devoir*, la verve unique de Josée Blanchette ne cesse de me surprendre, même après plus de deux décennies de collaboration ; il n'y a pas mieux qu'Odile Tremblay pour raconter la vie d'une grande personnalité subitement décédée ; et on trouve des phrases fulgurantes d'intelligence dans les chroniques de Jean-François Nadeau. Je suis charmée, à *La Presse*, par les formules accrocheuses d'Yves Boisvert, par la clarté de Francis Vailles dans les pages économiques. Et l'ironie de Christie Blatchford, de *Postmedia*, c'est le bonbon – acidulé, bien sûr ! – de la presse canadienne-anglaise.

Des grands noms du passé m'ont souvent soufflée par leur talent fou. C'était le cas du regretté Gil Courtemanche, qui nous a laissé les romans que tu connais sans doute, de nombreux reportages écrits et parlés, et ses chroniques au *Devoir*. La grande capacité d'observation de ce penseur toujours prompt à secouer nos certitudes s'énonçait avec classe, toujours loin de la banalité. En France, je pense à Claude Imbert, qui a été le fondateur, et le directeur durant des décennies du magazine *Le Point*. Son éditorial hebdomadaire était chaque fois une ode à la richesse de notre langue. Qu'importe le désaccord intellectuel – car j'appuyais rarement son propos !

– quand il est porté par une écriture aussi ciselée, indissociable de la réflexion profonde qu'elle sert. De la même manière, il me suffisait de relire un des éditoriaux de Lise Bissonnette – ce qui m'arrivait régulièrement dans le cadre de mon travail au *Devoir* – pour mesurer toute la maîtrise qu'il faut avoir pour s'exprimer aussi élégamment sans que la force de l'argumentation se perde dans la beauté des mots.

Je te rassure : je remarque aussi le travail de jeunes reporters qui savent tourner un *lead,* comme Sarah R. Champagne et Marie-Michèle Sioui, au *Devoir*, ou, dans un registre bien plus encadré, Annabelle Blais, au *Journal de Montréal.* Il y a de la relève, crois-moi.

Je n'ai jamais aimé les listes, elles sont toujours pleines d'oublis. Tiens, il aurait encore fallu que je te parle d'autres collègues du *Devoir*, tant le style est mis en valeur dans ce quotidien – de Catherine Lalonde, de Stéphane Baillargeon ou de la collaboratrice Monique Durand, par exemple. Et comment ne pas glisser un mot sur les journalistes des hebdos, comme Rémi Tremblay, de *L'Écho de Frontenac*, des magazines, comme Louise Gendron de *Châtelaine*, ou des quotidiens hors de Montréal, comme Richard Therrien, du *Soleil*, Luc Larochelle, de *La Tribune* et Karine Gagnon, du *Journal de Québec* ? J'en aurais d'autres à te nommer, mais il faut bien m'arrêter quelque part...

Si tu me pousses, si tu me demandes qui, dans l'écriture journalistique contemporaine, s'est le plus démarqué au Québec, je ferai comme tout le monde et te nommerai sans hésiter un jeune retraité : Pierre Foglia. J'ai déjà su par cœur des phrases de ses chroniques où, sous le couvert de la familiarité et des gros mots, la force du style se mêlait à la pertinence du propos. J'appréciais chez lui le regard, le rythme, l'intelligence, la culture, l'humour, et surtout, le travail subtil qu'il faisait pour que tout ça ait l'air d'avoir été écrit sur un coin de table. Du grand art. Il était dans une classe tellement à part qu'on ne pouvait même pas être jaloux.

Je m'ennuie aussi de certains grands reporters. Sue Montgomery par exemple, qui a quitté la *Gazette* il y a peu. Il y avait une telle humanité dans ses articles ! J'ai gardé longtemps ceux qu'elle a consacrés à Haïti après le tremblement de terre. Dans ces longs récits qui nous allaient droit au cœur, on prenait conscience de toutes les facettes de la tragédie.

Il faut dire que les journalistes anglophones ont de la chance : on leur laisse encore de l'espace pour raconter. Les médias francophones du Québec ont si peur de la longueur ! J'entendais bien quand on me disait que *Le Devoir* était classé parmi les quotidiens à textes longs, mais je m'interrogeais sur la base de la comparaison. Moi, mon plaisir du week-end, c'est de m'asseoir avec le *Globe and Mail* et de lire le grand texte de la rubrique Focus du samedi, qui tient tout fin seul sur trois ou quatre pages grand format, et dresse le portrait d'une personnalité ou d'une communauté, ou nous mène dans les coulisses d'un drame politique ou d'une transaction financière compliquée. Je prends la main des journalistes – car ce travail colossal est souvent fait en équipe – et je les laisse me guider jusqu'au dernier paragraphe.

The Gazette a aussi l'habitude presque quotidienne de déployer des textes de fond sur une, deux, trois pages. Côté francophone, il y a bien *L'actualité* qui a renoué avec ce type de long reportage ou portrait, notamment sous la plume d'Alec Castonguay et de Noémi Mercier, qui y excellent, mais ça reste l'exception plutôt que la règle.

En fait, les dirigeants des salles de presse ont plutôt un faible, de plus en plus prononcé, pour l'information en capsules, pilules passe-partout à gober rapidement. Ce n'est plus de l'efficacité, c'est un tic : on finit par se lasser de ces hachures dans la pensée. Que les pressés s'en contentent, tant mieux – ou tant pis – pour eux, mais les gourmands de mots, eux, évitent ces textes secs qui ne laissent même pas quelques miettes. Si comme moi tu as bon appétit, ne te laisse pas enfermer dans des formules toutes faites.

Je t'ai beaucoup parlé de l'écrit mais en fait, il faudrait élargir. Il y a eu et il y a encore de fabuleux conteurs à la télévision et à la radio. Tous les reportages ne se prêtent pas à l'approche unique du maître qu'était James Bamber ou à celle de l'excellent Akli Aït Abdallah, tous deux de Radio-Canada, mais il existe là aussi des manières de présenter tes sujets qui donneront envie au public de te suivre. Il me suffit par exemple de voir certains journalistes apparaître à l'écran ou d'entendre leur voix à la radio pour aussitôt tendre l'oreille en toute confiance. Je ne connais pas tous leurs trucs, mais je les vois mettre, comme leurs consœurs et confrères de la presse écrite, de la couleur dans leur propos – et du ventre, et du cœur, et de la tête, alouette! Je ne doute pas que certains collègues t'inspirent aussi, peu importe la pratique journalistique qui doit être la tienne. Après tout, dire le monde, qu'il soit dur, intrigant, révoltant ou anodin, c'est aussi savoir y mettre des atours qui dépassent la sécheresse des faits. C'est ce qui rend ce métier fabuleux.

Je te sens dubitative : tu es en train de terminer un texte sur les vertus du kale, ou de résumer une assommante séance de conseil municipal pour l'hebdo du coin, ou de réécrire pour la énième fois une pige dont tu étais très fière, mais qu'on t'a fait tellement couper et modifier que tu te retiens pour ne pas hurler, ou de t'escrimer pour que ta passion pour la culture puisse se traduire en reportages placés quelque part, n'importe où, pourvu que ça paye un peu – car le bénévolat, tu as donné. Alors le fabuleux de notre métier, franchement, tu le cherches.

Moi, je te dis : accroche-toi. Oui, le monde des médias est une industrie, avec ses contraintes techniques, ses obligations de rendement, sa routine, ses p'tits boss. Mais tu es plus qu'une travailleuse qui pointe ou qui court le cachet ; tu fais partie d'une profession qui a des responsabilités citoyennes. On le tient pour acquis, et pourtant le journalisme est au cœur de la vitalité d'une société, une condition de la démocratie. C'est en partie ce pourquoi tu as choisi d'en faire ton métier – sinon, tu aurais plongé dans l'univers bien plus vaste et payant des communications, non ?

Ce n'est donc pas à une entreprise ou à une hiérarchie que tu dois avant tout rendre des comptes, mais au public. Garder cet objectif en tête t'aidera à passer outre les rebuffades et à entretenir la motivation qu'il faut avoir pour frapper à de nouvelles portes, innover, défendre tes reportages, ou trouver du sens à un sujet en apparence banal.

Prends du plaisir à relever ce défi, et sois confiante. Nous avons besoin de toi.

PARCOURS JOURNALISTIQUE

Josée Boileau a obtenu une licence en droit de l'Université de Montréal en 1984, le Diplôme d'études supérieures en communications de l'université Paris III – Sorbonne nouvelle en 1986 et un baccalauréat en communications de l'Université du Québec à Montréal en 1987. Année d'étude subséquente à l'Institut d'études politiques de Paris et cours de maîtrise en Science politique à l'UdeM.

Après des années de journalisme étudiant et ses premiers pas dans des médias comme *Le Messager de LaSalle* et les magazines *24 images* et *Le Lundi*, elle fait le stage de *La Presse* à l'été 1985.

Été 1986, reporter de soirée à *La Presse*, section actualités.

Recherchiste pour la chronique et les entrevues d'actualité de Marc Laurendeau à l'émission *Télé-service* diffusée à Radio-Québec, saison 1986-1987.

Entre 1987 et 1989, journaliste surnuméraire au pupitre et au reportage à La Presse Canadienne, piges pour des magazines comme *Châtelaine*, *La Gazette des femmes*, *La vie en rose* et *L'actualité*.

Entrée au *Devoir* en novembre 1989, elle assure la couverture des relations de travail, de la condition féminine, de la vie étudiante et de dossiers politiques. Impliquée dans la vie interne du journal, elle devient présidente du syndicat de la rédaction. Départ en 1993.

Jusqu'à fin 1995, retour à La Presse Canadienne en tant que journaliste, responsable de la section régionale puis chef de pupitre du week-end.

Parallèlement, elle assure pendant plus de deux ans la direction du mensuel *Le 30*, magazine de la Fédération professionnelle des journalistes du Québec.

En 1996, elle est nommée rédactrice en chef du *Journal du Barreau*. La même année, elle est chef recherchiste puis rédactrice en chef de *Québec Plein*

Écran, une quotidienne d'affaires publiques sur l'ensemble des régions du Québec animée par Anne-Marie Dussault à l'antenne de Télé-Québec. L'émission sera diffusée pendant deux ans.

En 1998, elle est adjointe à la rédaction, responsable de pages thématiques au magazine *L'actualité*.

Nouveau passage à Télé-Québec en 2000 en tant que recherchiste à *Chasseurs d'idées*, émission d'entrevues et de débats avec des intellectuels du Québec.

Retour au *Devoir* en 2001, d'abord comme journaliste généraliste senior, puis comme éditorialiste et responsable de la page Idées à compter de 2003. Quatre ans plus tard, elle est nommée au poste de directrice de l'information.

Nommée rédactrice en chef du *Devoir* en août 2009, elle redevient de ce fait éditorialiste tout en administrant la salle de rédaction et en supervisant les grandes orientations rédactionnelles du journal. Elle occupera cette fonction jusqu'à son départ du *Devoir*, fin janvier 2016.

En parallèle, multiples interventions publiques comme chroniqueuse, conférencière, animatrice et panéliste, et collaboration à différents ouvrages collectifs.

Récipiendaire du prix Hélène-Pedneault 2016 de la Société Saint-Jean-Baptiste de Montréal. Prix Femme de mérite 2011 de la Fondation du Y des femmes, catégorie communications; la même année, prix Judith-Jasmin, catégorie Opinion, décerné par la FPJQ pour l'éditorial «Affaire Cantat: Un choix tragique». Diplômée d'honneur de l'UdeM en 2009 et ambassadrice d'honneur de la Faculté de communication de l'UQAM depuis 2010.

Josée Boileau et son conjoint, André Lacroix, sont les parents de quatre jeunes adultes: Marie-Claude, Xavier, Nicolas et Myriam.

TABLE DES MATIÈRES

Cet ouvrage composé en Chronicle Text G1 corps 12 a été achevé d'imprimer au Québec
sur les presses de Marquis Imprimeur le treize septembre deux mille seize
pour le compte de VLB éditeur.